国家出版基金项目
NATIONAL PUBLICATION FOUNDATION

《三联经典文库》

第二辑

2012 年国家出版基金项目

三联经典文库

135

法与宪法

韩幽桐 编著

生活·讀書·新知 三联书店

图书在版编目(CIP)数据

法与宪法 / 韩幽桐编著. -- 北京 : 生活·读书·新知三联书店, 2014.1
（三联经典文库第二辑）
ISBN 978-7-108-04757-1

Ⅰ. ①法… Ⅱ. ①韩… Ⅲ. ①宪法－研究－中国 Ⅳ. ①D921.04

中国版本图书馆CIP数据核字(2013)第261878号

135 法与宪法

责任编辑 戴云波 朱立国
封扉设计 蔡立国
责任印制 郝德华
出版发行 生活·讀書·新知 三联书店
(北京市东城区美术馆东街22号)
邮 编 100010
经 销 新华书店
印 刷 北京鹏润伟业印刷有限公司
版 次 2014年1月北京第1版 2014年1月北京第1次印刷
开 本 787毫米×1092毫米 1/32 印张 4.5
字 数 58千字
定 价 17.00元

《三联经典文库》出版缘起

适逢生活·读书·新知三联书店八十华诞，为弘扬传统，接续文脉，回报读者，服务社会，我们决定策划出版《三联经典文库》。

1932年7月，生活书店在上海创办，此后，读书出版社和新知书店相继成立。本文库第一辑、第二辑所选图书，来自于这三家出版单位及其分支机构，以及1948年生活·读书·新知三联书店成立后的出版物，始于1932年，截至1951年，两辑各一百种。此为第二辑，涉及政治、经济、社会、军事、思想文化诸领域，涵盖专著、文集、散文、小说、诗歌、传记、报道等体裁，既有直面现实、追求真理、讴歌真善美、抨击假恶丑的原创作品，又有引介世界各国先进文化、传播新知、开启民智的迻译之作，真实记录了那一代知识分子的思考与探索、理想与愿景和对中华民族文化传承与创新所做出的努力与贡献。

本文库所辑入各书，多为名家名作，在版本方面，以初版一印本或经著译编者审定、修订、增订过的版本为首选，因此本文库又具有较为珍贵的版本价值和收藏价值。

本文库还将编选续辑，使之成为恢弘文化工程。诚挚希望读者给予批评和指正，帮助我们完善编选工作，再现三联经典作品之风采。殊为遗憾的是，由于年代久远，一些原著译编者及其后人未能取得联系并奉付稿酬，诚盼版权所有者与我们联系。祈愿三联前辈所创造的精神财富能薪火相传，为中华文化的伟大复兴增光添彩。

《三联经典文库》编辑委员会

2013 年 8 月

凡　例

一、本文库为重排本，由繁体字竖排版改为简体字横排版。

一、以忠实于原作、整旧如旧为编辑原则，对当时使用的专有名词、外文译名，以及民国时期的语言和特色予以保留。

一、原书注释如旧，编者所出的注释，均以“编者注”标明，以示与原书注释的区别。

一、对原书残缺或字迹漫漶之处，以□示代。

一、对繁简文本转换时的“如右”、“见左”一类，对应改为“如上（前）”、“见下（后）”。

一、对原书中各种错讹脱衍之处，直接订正，不再以其他符号标示。

一、对数字、标点符号的用法，在不损害原文语义的情况下，做必要的规范。

一、本文库各书均前插原书书影、原书版权页和文库版“本书出版说明”。

一、本书出版说明的撰写，以客观中立为原则，扼要介绍本书的内容、版本流转、著译编者的情况。

本书出版说明

本书是一部1940年代中国法学研究的论文集，由著名法律人韩幽桐女士主编，收录了包括邓初民、张友渔、张申府和史良等著名学者的八篇文章，主要围绕法律的本质，法律和法治的关系，通过对英法德美苏日土等国宪法的介绍与对比而提出中国法治建设的目标，对男女平等尤其是抗战时期的婚姻等问题进行了探讨。透过本书，我们不难看到，中国法学的先驱者们为中国的法治建设而做出的坚苦卓绝的努力与探索。

本书由重庆峨嵋出版社初版于1944年6月，本次出版即以此为底本。

韩幽桐（1908-1985），原名韩桂琴，女，回族，吉林省宁古塔（今黑龙江省宁安县）人。1926年前，均在吉林省受教育，积极参加当地的学生运动。1926年来到北平，加入中国共产党，出任党主办的《妇女之友》编辑部副主任，考入国立北平大学法学院，攻读政治学和法学。“九·一八事变”后，曾组织北平大学生，亲赴南京请愿而入狱，旋获释。1932年毕业后赴日本留学，先后在早稻田大学、东京帝国大学学习国际法和外交史。1933年与张友渔结为伉俪。1937年回国，参加了华北救国会，积极从事抗日救亡运动。1939年赴重庆，受董必武之托，参加全国救国会，与沈钧儒、邹韬奋、史良、张友渔等十八人组成领导机构，开展对国民党的斗争，以批判《五五宪草》而声名鹊起。1941年赴香港，接受廖承志领导，从事统战和妇女工作。1943年回到重庆，接受邓颖超领导，从事民主、宪政和妇女运动。1946年，奉周恩来之命，赴东北开展文化教育工作，出任松江省教育厅厅长兼松江省行知师范学校校长。1949年后，历任天津市教育局局长，全国最高法院华北分院副院长、民事庭副庭长，宁夏回族自治区高级法院院长，中国社科院法学所副所长，中国法学会理事等。全国人大第一、二、三届代表，全国妇联执委会常委，全国政协常委、法制组组长。

生活·读书·新知三联书店

2013年8月

峨嵋出版社 1944 年 6 月初版书影

初版3000冊
有版權·禁翻印
每冊定價三十元

法與憲法
韓幽桐編著
峨嵋出版社發行
一九四四年六月·重慶

原书版权页

目次

揭开法的面幕

韩幽桐

一

我们整天生活在法的秩序之中，受着法的拘束、干涉或保护，法对于我们真是有着切身利害的关系。但法究竟是一种什么东西？它是怎样产生出来的？它对于人类社会，负有着什么任务？起着什么作用？恐怕在我们中间，还很少有人弄得清清楚楚。看不清楚这些，那就尽管你高唱法制，尽管你强调守法，而其结果，将不会得到法的好处。因此，我们首先要把这些弄得清清楚楚。

二

法究竟是一个什么东西呢？这在旧派法学者之间，

也会有着各种不同的看法和答案。

有人把它当做由国家统治权所决定的行动规范。这是国家命令至上主义的一种看法：它是流行在国权绝对主义的国家里的。有人把它当做人类自愿遵守的社会规范，就是说社会的构成分子在意识上认为法是不可破坏的必须遵守的东西。有人把它当做由社会共同力量所强制的人类生活规范，还有人把它当做正义、公平的纯理论的规范。这些说法虽然不同，但它们的共同点，是都没有在本质上给法以正确的说明，都不可能达到说明法的本质的目的。为什么呢？因为它们都是把法孤立起来，把法和经济、政治隔绝起来，而单纯地从意识、心理上理解法的缘故。因此，即使有些旧派法学者感觉到观念论不能够说明法的本质，而企图接近于科学的、真理的说明，但由于他们始终不能抛弃旧的工具——研究方法，以及他们自身的身份关系的局限，不是中途停留在一个界限上再不前进一步，便是悄然地滑到小路上去，有意地避开了真理的道路。例如俄国革命前的高尔古伊诺夫，曾把法说明为“利益的限制”。这比较把法当做神意、君意、绝对的公理正义的看法，是进了一步。但所谓“利益的限制”是谁的利益的限制呢？是从什么身份出发的一种限制呢？他是不能也不敢再多说一句了。这说明关于法的本质的阐明，是不能对于旧派法学者存着多大期望的。这和其他社会科学的阐明，不能期望于旧派社会科学者是同样的道理。

三

怎样打破陈腐的旧派的法理论，建立新的科学的正确的法理论，是今天进步的法学者们所应研究的重要课题。自然，这是一个艰苦的工作，因为在一切社会科学的领域中，法学这一种科学还是布满着荆棘和莠草的荒地呢！但今天从事这种工作，已较二十年前容易多了。因为在世界上已有一个新的社会把它打下了基础，那就是苏联的新法学的建立。当俄国革命成功后，在那里，法学者们便阐明了法不是独自存在，独自发展的东西，而是从适合于一定时代的生产方式的经济关系所派生出来的东西；因而它虽然能给经济关系以反作用，但究极还是为经济关系所决定。这个原则确立后，旧法理学的渣滓便被扫清了。可是完整的新法理学的建立，不是一下子就成功的，为了完成这种工作，在苏联，曾有过二十余年的研讨批判。这个过程是值得在此介绍出来的。

如前所述，新法学的原则，在俄国革命成功后，马上确立了。但关于法的本质和法从经济基础产生的过程问题，却成了二十年来法学上研讨批判的中心问题。一九一九年苏联的法学者斯托奇卡，开始给法以新的解释。他说："法是适应于支配者层并由支配者层的组织力量拥护、维持的社会关系体制（秩序）。"并把这解释，提交苏俄司法委员会，作为刑法裁判手续的指导原理。一直到一九二二年，他著《民法讲义》，仍然规定"法是社会关系的体制"。在他所著《法和国家的阶级任务》中，也说："人类是在一定的交互关系中，一定的法的秩序这种条件中生活着的。这种社会的法的秩序在一方面，是由于习惯或由于一定的心理的驯致的存在而为大多数人的意识所创造，所全然难以排斥的习惯的法律关系。它和成文法是同样的。"其后，枯尔伊林克著《苏联的法及国家的哲学基础》一书，对于斯托奇卡的法的本质的说明，提出批判，并加以补充。他指出斯托奇卡

“没有把法的关系和社会关系加以区别”的缺点，而认为“不是一切社会关系体制都是法的关系体制，只有从生产关系的变化中发生、发展且具有强制性的人类相互的社会的，成文，不成文，反映出来的形态关系才是法的关系体制”。这以后，斯塔埃晤伊奇，又指出枯尔伊林克的缺点是把法只看做社会关系的反映，社会关系的镜子，而忽视了它对于经济基础的积极的反作用。他认为法对于经济基础的积极的反作用这一点，应该补充进去。他说：“如果像这样，单单不过是社会关系的‘表现’，‘反映’，‘是认’等等，则法的上部构造将失掉它的积极的变革的作用。过重评价在社会——历史的发展过程上的经济的作用，而把它捧到绝对无限的地位，则必将陷于经济主义，孟塞维克主义，社会民主主义的改良主义的歧途。”

其次，是关于法从经济关系产生出来的过程的争论。一九二七年苏联法学者巴秀卡尼斯著有《法的一般理论与卡尔主义》一书。在这书里，他把法形态发生、发展的过程依商品等价交换关系来说明。他根据《资本论》所说：“为了使这些生产物作为商品而相互发生关系，商品持有者自身不能不作为寄托他们的意志于这些东西之中的人格者，而相互发生关系。这样，一方面，只有得到他方的同意，即谁都是只有以双方合意的一致意志行为为媒介，才让渡自己的商品，而占有别人的商品的。因此，他们不能不互认为私有权者。”而认为“在完成劳动生产物转变为商品、转变为市场诸关系的客体的过程中，和它并行，且以它为依据，而持有这种生产物的人也就从单纯的生产物的消费者变成了商品诸关系的主体的商品所有者了。这时，商品所有者间，即人与人间所发生的关系，就是一种法的关系。而这种法的关系，是依据等价，依据双方同意而成立的，因此，它是自由的、平等的关系”。依他的见解，当市场上商品交换关系发生，同时，便也发生了法的关系。他会把私法上的债权债务对等关系来说明这种理论；也会以刑法上的报应惩罚作为这种理论的论据，同时，他认为这种理论不仅适用于市场关系存在着的一般国家的法，而且也可以适用于苏联的过渡期法。他说：“在法的意义上来理解，则法的主体的意志存在于这种希望之中。即对于获得的一方的让渡和对于让渡的一方的获得，为了实现这种希望，商品所有者的希望和另一商品所有者的希望，互相一致，实为必要。在法上，这种关系是作为独立的意志之间的契约或合意而表现的。所以契约是法的中心概念之一。夸张些说，契约是法的理念的组成部分。”又说：“所谓犯罪，可以这样地观察，即它是交换关系也就是契约关系在行为之后即当事者一方的恣意的行为之后，所定的交易的特别的变种。犯罪和报复之间的比率，被导向这些交换比率。”“刑罚是作为受害者所受的损害得到平均的等价而表现的。”这些，都表示他认为不论公法或私法，刑法或民法，资本主义国家的法或社会主义国家的法，都是建立在当事者双方意思一致的等价交换关系之上的。他这种理论，在苏联曾引起极广泛的批判和论辩。彼奥特考斯基曾指摘他这种理论不能说明独占资本主义国家的法，更不能说明苏联的法。因为在独占资本主义国家，金融资本在经济上的统治，打破了自由买卖关系，从而也打破了等价交换关系。当金融资本透过政治力量实行统治某种企业或实行合并和没收某种企业时，绝不会完全求得企业者的同意甚或也不能付以相当的等价。这时，站在统治地位的人和站在被统治地位的人之间的法的关系，就不会是等价的、自由的、平等的关系。在苏联呢，它根本上是要消灭等价形态的立足地——市场的；苏联的私法根本不是根据这种市场关系建立起来的，这是一。其次，苏联也并不能强化刑罚是对责任者的一种公正的报应观念，而且反对这种观念。它是有意识地利用这种刑罚，以保卫社会，绝不披任何公平报应等的美丽的外衣。在它看来，刑法的防御处分是为了完成社会主义的目的，而不是替被害者私人复仇。

这样，巴秀卡尼斯的法理论是没有获得苏联法学者的一般承认的。他们大抵认为法的发生和发展过程，不能仅于商品流通过程中求其根据，而应当求其根据于商品生产过程中。

四

关于苏联法学者之间的争论，我们的意见是这样的。就法的本质而言：第一，法是历史的一定时代的生产关系的反映和表现；第二，它是为了统治者的利益而维持、调整、发展现存社会关系的；第三，因而它制裁扰乱这些关系的一切作为和不作为；第四，它是经过国家机关内统治者制定或承认的社会规范。本来，卡尔早已说过："生产关系的总和是社会的经济构造的现实的基础。在社会的经济构造上，耸立着法的并政治的上层建筑。"又说："生产的各形态创出它自身的法的诸关系和政府诸形态等等。"就是说法是建筑在一定的生产关系之上的。而法的产生即它的最初建立，是在生产关系相当发展了的一定历史阶段。像《住宅问题》的著者所说："在社会的一定发展阶段上（甚至原始的发展阶段上），由于生产物的生产，分配，交换的行为，天天在重复进行着，而引起这种必要，即把这些行为包括在共通的规定之下，而使各个人服从生产和交换的一般条件，这规定最初成为风习；很快即成法律。和法律成立同时，被委托维持法律的机关即公的权力机关的国家也就成立了。"而一经有了公的权力机关，于是这机关又依它的需要，用它的权力，承认或制定各种法律。甚至"官吏们为了维持自己的尊严，而制定一种特别法"。而这一切法律，不待说，都是维持、调养和发展现存社会关系的。所以，“在奴隶制度之下，法律允许奴隶主打死奴隶；在农奴制度之下，法律允许农奴主出卖农奴；在资本主义制度之下，法律允许资本家对劳动者剥削”（史大林）。

就法的产生过程而言，我们同意从包括流通过程在内的整个商品生产过程中，求其根据，而不能仅从商品流通过程（等价对等价的交换过程）中，求其根据的见解。因为商品的流通过程虽然是等价对等价的交换过程，但它只是价值实现的过程，而不是价值产生的过程。价值的产生是由劳动力来的。在商品流通过程里，固然，我们只看到“一方是购买者，他方是贩卖者，除此之外，别无差异”。因而可以说商品交换者双方“都是法律上的平等的人格者”。可是，如从生产过程里看，则法的不自由、不平等的关系便明显地表现出来。例如前面所曾述及，在奴隶制度之下，法律允许奴隶主打死奴隶，在农奴制度之下，法律允许农奴主出卖农奴，这能说是自由平等的吗？资本主义制度之下的法允许购买劳动力的资本家剥削出卖劳动力的劳动者，同样，不能说是自由平等的。因此，只有从商品生产过程去说明法的产生过程，才能认识法的本质；在商品流通过程中兜圈子是没有用的。

五

在上面，我们说明了法的本质。这里，顺便说到法和政治的相互关系。政治的本质和法的本质是一致的。法和政治都是包含着支配与被支配的关系；也都是一定的社会经济关系的反映，而同时又对社会经济关系发生积极的反作用的东西。但尽管本质一致，而法和政治之间，是存在着区别的。它们的区别就在于法是被固定的、被确立了的一定的规范，经过国家机关才表现出来的，而政治则不一定像法那样的固定，且不必一定经过国家机关才表现出来。例如政党的活动是政治性的，但它的政治表现，仅经过它的构成分子的意识与行动即可，不必经过国家机关。同时，政治比较法为更根源的，政治的范围比较法为更广泛的。即仅从法与政治的关系说，政治是法的基础，法是政治的表现；政治是法的内容，法是政治的形式。那么，是不是所有政治关系，都会表现为法的关系呢？不是的，因为政治是法的下层基础，所以法的关系必然建筑在政治关系之上；但因为政治的范围较法为广，所以政治关系，不一定都表现为法的关系。在政治关系之间，表现为法的关系的，可以有以下三个部分：

（一）成为对于统治者，对于当时社会秩序不可缺少的根本条件的那部分政治关系是法的关系，例如私有财产的保护对于现代社会秩序和统治者是不可缺少的条件。因此，惩罚盗窃的法，便有了它存在的基础。

（二）绝对必须由国家机关保护的那些政治关系，也成为法的关系，例如人民的投票选举权等是属于政治范围内的，但需要法的保障，因而便构成宪法上的一部分。

（三）在当时社会秩序下，由于被统治者的抬头，要求统治者维持遵守，而在统治者方面也认为接受这种要求比不接受较有利的那种政治关系便也构成法的关系，例如各国人民要求民主自由权利的宪法运动，是政治上的要求，而结果便不能以成文规定于宪法之中。

总之，把政治范围内的这类东西规定成为法，便成了法的关系。因此，法就是这些政治部分的成文的与不成文的反映，而被规定为一种固定形态的东西。正因为是这样，所以有怎样的执政关系，便有怎样的法的关系。在君主专制的政治下，法便也不能不是君主专制的工具；在民主政治下，法便也不能不是保障人民权利，限制政府权力的法。专就宪法与宪政的关系而言，也是这样。因此，必须有宪政，才会有宪法；必须有良好的宪政，才会有良好的宪法，宪法固然可给予宪政以反作用，但它是不能凭空创造宪政，也不能完全和宪政背道而驰的。如果没有宪政，则即使宪法颁布了，其结果还不是白纸黑字的空论！

研究法律学需要科学方法

闵贞健

一

谁都理解法律学的基本观念绝不是单纯的现象学或是抽象的问题。到现在为止，一般人对于法和法律的观念确是太模糊了。某些法律学者们对于这种基本问题的解决是不愿为同时也是不能为的。但是人类文化进步到今天，我们再不能把这问题让它永远隐蔽在神秘的外衣里，我们必须揭破它一切的暧昧，把它独特的性质暴露出来以示之于人人之目。要完成这目的，我们首先不能不讲究研究法律学的方法论了。只有应用科学的方法论，在后才能暴露出被隐蔽被欺瞒着的法的本质，使现实社会中认为合法的法律关系的榨取形态原形暴露。这种科学的方法就是以发展的法则来理解法律的关系。因之一切的研究都该从事物关系的基础上加以分析、解剖，以动的观点来了解其本质。如果不这样，那对于法的关系是再也不能清楚地认识。因为实际上只有科学的方法才是一切智识活动的主要骨干，它决定着思考和实践的主导路向。

二

法律学的研究者首先非从一切人类社会根本的理解做出发展不可。那就是说并不是法律秩序形成了人类社会，而是人类社会制作了法律秩序并且发展了它。如果不从这种法律秩序的制作发展的基本构成上去研究，那么，法律关系到底建筑在什么基础上，为什么需要这样的法律秩序，这些基本问题的把握会成为绝对不可能。

因之，我们研究法律应该先从社会的研究开始。根据这点，我们首先应该把人类社会生成发展的过程加以科学的说明，并且这种科学的说明一定要依据科学的方法。这样才能把以前留存在我们头脑中的一切虚构的认识和歪曲的思辨全部廓清。这样才能对社会科学有真正的认识。特别是基于人类社会的生成发展以认识全部人类社会的构成，并正确理解这中间一环的法律秩序——法律的关系。

上面说到研究法律学的前提，应该从人类社会的研究开始。但是人类社会的范围是太广了，究竟该从那一部分做研究的对象呢？这就非先从为人类社会物质基础的经济组织做研究中心不可了，并且开始经济组织的研究时先该探取解剖分析整个的现实社会，再后渐次上溯历史的方法。

但是我说置重点于经济组织的研究时绝不是说仅就这点埋头研究，而无视一切其他的社会关系。站在科学的立场上研究人类社会的经济状态时，必须以社会科学的考察和经济组织相随而生的一切社会关系和人类生活。这才可能得到正确的结果。这就是说先要明了基本的决定那些社会关系的东西，在后再对这些基本的东西和其他副次东西的关系加以认识，这样才能理解它们相互间的关系。这种基本关系的理解实为研究法律学者们所最应注意的基本前提。

三

因此，法律学的研究必须对于现实社会的诸形态加以仔细的解剖和分析。当然这并不是说研究现实社会时忽略了在这个社会中还残存着的封建诸形态，而是更应特别注意在这中间有着强固地位的封建诸关系的现实的作用。因之，我们研究法律应该从现实的社会关系加以分析，同时在这中间所包含的各种残存的观念和制度，同样应加以严密的考察。

实际上我们应该了解一切国家和国家机关的构成都莫不反映当时特定的经济关系。在这种经济组织上建立起来的政治机构绝不是像某些学者们所说的从政治权力主观的立场设定的。譬如说刑罚的对象，如果对犯罪样态置如何重点的顺序加以考察，即可知当时支配阶层对于对像物为什么置这样的重点可以理解出来。英国在十五六世纪封建统治时期，法律保护物的权利远较保护人的身体为周密。当时法律规定烧人房屋者处死刑（不问其行为是否已遂，只要有行为之表现已足）；窃罪超过十二便士以上者处绞刑，而重伤人的身体（如伤害人之手足眼齿或破头颅）只处监禁和罚金，强奸赂诱也是这样。这为什么，很明白的因为当时英国统治阶级为封建势力，法律的制定都出自此辈之手。他们都拥有广大的土地与财产，这种土地与财产的占有是他们跻身于统治阶级的基本条件，离开了这种基本条件，他们的统治力就会发生动摇，所以他们对于财产的保护特别严密。这是一个最为明显的例子。再像民法、诉讼法和其他的私法关系，这中间所包含所规定的条文究竟要求些什么，都不难想象而知了。因之要理解法律形态所表现的各种现象，全面的分析现实社会的关系是绝对的必要。

四

其次，法律形态在现实的社会关系间所充当的什么任务，应该探求它具体的内容。譬如说法律或命令的变更，就应该研究变更当时的经济变动和社会情势，找出所以变更的理由和资料，科学的来解决法律形态变更的真实性；更进一步研究这种变化在怎样的要求和必要的情况下制定公布。要明白法律形态的真实性，首先就非理解这社会的经济组织和其他有关的基本情况不可了。因之，我们应该不断地认识在现实社会中所表现的法律形态所充当的任务。所以研究法律一定要理解基于新的经济组织的生产形态，同时基于这种生产形态的社会关系必须加以正确的认识。基于某一阶层所要求而被利用的法律关系必须加以考察。

五

为得要理解法律形态的发生和发展，就非得仔细把握法律形态所循环表现的社会情势不可。因为这样，研究法律还得充分研究正确的统计和其他的资料。同时对于这些资料所表示的事情变迁的文献加以处理。从客观和主观情势的结合关系上去理解，我想一定能得到更深一层的理解。可是为了获得正确的智识，这里应该提出一定的历史观是必要的。譬如说法制史的研究，到底以何种立场来着手，我们才能处理最正确的历史事实的发展。这就不能不依靠物本的历史观了。所谓物本的历史观就是从动的发展的方面去理解事物的关系。事实告诉我们社会的发展，都有其必然的发展过程。历史的事实绝不是个人主观理解的发展，而是基于绝对不能动摇的客观的发展法则。因之以法律学为对象而研究时自亦当追溯法律形态历史的发展并和现实社会的诸形态相结合而研究之实为必要了。

六

研究法律学还应该从一切事物的真实关系上做研究的起点，即是说应该先对具体的事实加以严密的研究。譬如说对于现行亲属和继承法的研究吧，为了要清楚明白每条法文所要求的是什么，一定先要对于这条有关的一切问题严密的分析，和关于这条文一般的论理的发展加以思考，再把各条文的研究予以综和，在后方能把握现行亲属继承法的社会的阶级的意义，才能清楚的理解由封建主义的家族制度发展而来的亲属继承法，和现在基于资本主义生产方法发展而发展的人情、风俗和家族关系等如何发生了矛盾而又统一起来。

七

总之，科学的法律学的研究方法应该是和某些学者们研究社会关系只置重点于社会学的方面加以研究的完全相反，而是完全着重于发展的社会运动形态。这就是说，研究的任务不能不基于事实的成长和事物的继续发展上面。只有这样才能清楚地理解法律本质和法律的关系。

法与法治

章　瑜

一

谈宪政、民治，必然要谈到法治。法治不仅是宪政与民治的表现形态，而且也是宪政与民治的重要内容。不过离开宪政、民治而谈法治，或强辩法治而避谈宪政、民治，那就未免有些舍本逐末，贻人以“买椟还珠”之讥。至于谈法治，而不懂得法治的真正意义，或有意拿假法治混淆真法治，那更是有害无益的。因此，阐明法治的真正意义及其和宪政、民治的关系，在今天，实在是必要的。

二

要了解什么是法治，首先就要了解什么是法。一般地，抽象地说，法是一种社会规范。但是这只是一种形式的理解，并不能说明法的本质及其史的发展，因而也就没有彻底的、正确地解答了“什么是法”这个问题。要解答这问题，还须做进一步的说明。关于这，曾有种种不同的说法。有人说，法是神的意志的表现，是上帝的意志的表现。这本是神权时代传下来的东西，毫无科学上的价值。在今天，已为大多数人所唾弃。但反动的法西斯主义，现在又来强调这东西。例如一九三五年，法西斯化的波兰，曾由国会通过一部反动的宪法。那宪法更明白表示：“立法的主体是上帝。”又有人说：法是主权者的命令，这是拥护独裁政治的说法。他们所谓主权者不是民主国家的人民，而是专制国家的君主；他们所谓主管者的命令，当然更和经济立法程序的法律不同，而是君主可以随意发布的命令。这是君权时代的一种支配的法律学说。例如在罗马时代，便有“君主的思想便是法律的规律”这样的格言。在我们中国，也曾有同样的见解。特别是被称为法家的一派人，虽高唱法治，但他们所谓法就是君主的宪恩，而不是别的。而在《管子》里边，不是就说过吗：“有生法，有守法，有法于法。夫生法者君也，守法者臣也，法于法者民也。”所谓生法，就是制定法律；守法就是执行法律；法于法，就是为法所治，也就是绝对守法。现在法西斯主义又重新强调这东西，不过把君主换成国家、政府或政府当局罢了。在希特勒统治下的德国，“元首”的命令的效力是高于法律的；而在法西斯意大利，则法律不许人民毁谤墨索里尼！还有人说，“法是理性的体现”。所谓“理性”，或说是客观存在的自然理性，或说是人类意念中固有的理性。但不管怎样，总之不外是说：法律本身是绝对的、合理的、妥当的，超于社会阶层之上的东西，人应该绝对遵守它、服从它。他们这样说，是为了把法律神圣化，像把国家神圣化一样，以麻醉被统治阶层的反抗意识，而缓和其革命斗争。德国的黑格尔派的理论，就是这样。现在，法西斯主义更加把它扩大地强调起来。在中国，儒家学说也属于这一种。更有人说：“法是客观存在的自然法则。”这一说和上一说，基本上是大致相同的。不过在表面上，上一说更主观些、更抽象些；这一说比较客观些、具体些。他们认为人类社会中，也存在着和自然界中所存在的自然法则类似的客观法则，这是不错的。但他们把法律描写为这种法则，因而认为法律是超越阶层，超越国家而自然存在的东西，则和上一说，同样把法律神圣化了。这一说的优点，是反对所谓主权者任意破坏法律，曲解法律，例如当日本破坏国际联盟公约，侵犯中国主权时（“九·一八事变”），日本东京帝国大学教授横田喜三郎便表示这不被认为是不法行为。又如日本宪法学权威美浓部达吉的“天皇机关说”，认为“天皇的敕令”并非不可侵犯，它是不能抵融法律的。但另一方面，只要是正式成立的法律，不论是好是坏，便应贯彻执行，而人民也便应该绝对服从，结果，还是便利了统治者。因此，法西斯主义者在它公然破坏法律时，讨厌这种学说，而在要求人民遵守法律时，便利用这种学说。又有人说：法是一种社会契约，这就是说，法是根据人民相互同意而订立的一种契约。因此，一方面人民应该共同遵守；他方面统治者也不能变更。这是契约论一派的理论。在反对专制、拥护民权这一点上，它是进步的。但不仅在学理上，没有科学的根据，而且在事实上，也同样抹煞了法律的阶层性。最后，还有一种法西斯主义的说法，就是法是民族生活的力量。他们认为法律和国家一样，都是民族生活里不可缺少的东西。而所谓民族又有优等与劣等之分。优等的民族和劣等的民族不能平等地适用同一法律。因此，对内压迫被统治的少数民族和人民大众，对外侵略别的国家、别的民族，那是优等民族的合法权利。这一切说法，显然都不是正确的说法，都不能正确地解答“什么是法”这个问题。

实际上，法是具有以下各种特征的东西。首先，法是具有强制性的一种社会规范。法和道德、风习等同样也是一种社会规范。但它和道德、风习等的要人们自愿地服从不同，它是具有着强制性的。抽去强制性便不成其为法律。一切法律都是规定要人们“行为”或“不行为”的。公法如此，私法也如此。法律当然是由风习发达而来的，但一成为法律，便具有强制性，而强制地执行它的公的权力机关，像国家、政府，便同时产生了。特别是有了公的权力机关后，掌握着这种公的权力的人民——政府官员，便要实行足以维持他们的尊严的特别法，而法的强制性就更增强了。

其次，法是建筑在一定的社会的经济基础，即生产关系之上，而反映这种生产关系，并给予以反作用的。法律原是社会的上层建筑之一，它必然是建筑在一定的生产关系之上，而反映这种生产关系，这是不待说的。例如在封建的生产关系之上，建筑起来的所谓“普天之下，莫非王土”的土地所有的法律关系，在资本主义的生产关系之上，是必然像建筑在沙滩上的楼阁一样，避免不掉崩圮的命运的。在资本主义的生产关系上，建筑起来的土地所有的法律关系，是承认和保障土地的私人所有权。任何人可以所有土地，可以经营土地，可以移让土地，可以出卖土地，有钱的人有“田连阡陌”的自由，没有钱的人也有“地无立锥”的自由！不过，法律固然是建筑在一定的生产关系之上，但当它一旦建筑起来后，便对生产关系，也能给以一定的反作用，机械唯物论的法学家常常忽略这一点，因而过低估计了法律的作用，这是错误的。

第三，法是以维持现社会秩序为目的的。法是建筑在当时的生产关系之上，而反映它的东西。那就当然是维持这种生产关系的，因而也就是维持现社会秩序的东西。事实上，任何时代、任何国家的法律，都明白地表现着这一点。例如资本主义国家的法律，必然是维持私有财产制的。

第四，法是不能不保障当时社会支配阶层的利益的。因为他们的利益，绝不会和当时的社会秩序根本不一致。所以封建国家的法律，首先是保障君主的利益；资本主义国家的法律，首先是保障资本家的利益。

第五，法是随着社会经济基础——生产关系的发展而发展，特别是随着社会阶层力量的对比的变化而变化的。因为法是社会的上层建筑，所以必然随着社会经济基础的发展而发展；又因为法是站在统治地位的人们的强制的工具，所以必然随着社会阶层力量对比的变化而变化。这变化可能采取的方式有二：一是革命的方式；一是改良的方式。法发展到一定阶段才产生法治。

三

由于了解了“什么是法”，就可以了解“什么是法治”了。有些人因为不了解或不愿了解，甚或了解而假装不了解“什么是法”，所以对“什么是法治”也不能给予正确的解答。他们说：有法律就有法治；政府根据它所颁布的法律来施政，就是法治；因此，中国两千年来，就是法治国，不必再要求什么法治。这就是说，在封建时代，就已经实行了法治，君主专制就等于法治！这样说的结果，是拿假法治取消真法治，是假法治之名，行专制之实！其实，封建时代的所谓“法治”只不过是运用法律为有效的武器，以贯彻和巩固君主专制的统治罢了，绝不能认为是什么“法治”。

在现在的法西斯国家也有它的惨无人道的法律，它也恬不知耻地自称“法治国家”。但那里的法律，只是压迫人民大众的工具；那里的“法治”，只是统治人民的手段。为了贯彻压迫和统治人民大众的目的，甚至恢复了残酷的“宫刑”！在那里，没有独立的司法和立法，行政权是高于一切的。希特勒这大独裁者，他的命令可以代替法律，取消法律。一切的法律，在他看来，都是可以由他摆布的。这能算做“法治”吗？

这些封建国家和法西斯国家的事例，都说明有法律未必便有法治。法律可以用于法治，也可以用于专制，正像飞机大炮可以用于侵略战争，也可以用于反侵略战争。是不是法治，绝不仅在法律之有无，而在怎样用法律？谁运用法律？法律保护谁的利益？拘束谁的行为？因此，那些简单地认为只要人民守法就是法治，不问什么法律人民都应该守，否则不能有法治的见解，显然是错误的。实则人民只能守法不能“议令”，那是专制统治，法西斯统治，而绝不是法治。

依我的见解，现代民主国家的法治，才是一般所公认的真法治，它具有着以下的诸特征：

（一）它是较广大的人民斗争胜利的成果，就是市民的民主革命胜利的结果，因而也就是在近代民主国家，才能产生它。在封建国家没有法治，在法西斯国家取消了法治。

（二）它是限制政府权力，保障人民权利的。因为民主国家的主权属于人民而不属于少数政府当局，为了防止少数政府当局滥用权力，侵害全体利益，故不能不加以限制。所以一切法治国家的宪法上，必都规定，法律触宪法者无效，命令抵触法律者无效。政府当局的违法命令，人民没有遵守义务。

（三）它必须有真正上下共守的根本大法——宪法。从而从宪法所生的一切法律，也都须上下共守，没有一个人能成为例外。只要违宪，违法，政府当局和人民同样要受制裁；只要不违宪，不违法，人民有充分自由权利，政府不能任意限制或侵犯。

（四）它是建立在民主的基础之上的。宪法和法律的制定权、修正权、废止权都属于人民自己或代表人民的民意机关，而不属于政府当局。同时，执行法律的政府当局不仅受人民的监督，而且得由人民选举和罢免。这样，法律既为人民自己所制定，那就必然是保障人民利益的，政府当局既为人民所选举、监督和罢免，那就在执行法律时，必然不敢违反人民的意思。在这样的情形之下，人民也就自然能守法了。

（五）它和法律本身同样，是随着社会的发展而逐渐发展的。不论是就宪法的内容说，或就选举制度说，第一次世界大战后，是比大战前，有了进一步的发展。向后倒退的，只是法西斯国家。

（六）它在反封建、反法西斯的国家，直到今天，依然是需要的。

四

综括以上所述，可以归纳为下列几点：

（一）法治的主要意义，在人民有权立法，而不在只能守法；在人民有权控制政府，而不在专是服从政府。

（二）即使就守法而言，也是容易滥用权力的政府官吏，更应守法，不能专责人民守法。

（三）只要能实行民主，自能实现法治，也只有实行民主，才能实现法治。只是守法并不就是法治，也不能产生法治。

（四）民主是法治的本质，法治是民主的表现形态，同时，也是民主的重要内容。

（五）在目前的中国，我们需要民主，因而也需要法治。不过，现在民主国家的法治范围还太窄狭。正如我们需要三民主义的民治一样，我们也需要适合于更广大的人民大众的共同利益的更进一步的法治。这就需要扩大现在所谓法治的范围，并丰富它的内容。也就是一方面扩大所谓“人民”的范围，使它不限于一阶层而包括各阶层，他方面更多给人民一些控制政府，保障民权的权力。这是可能的。世界的法治的趋向，本来是向这条路走。但打破一切阻力，还需要我们共同努力。

中国目前需要怎样的宪法

游雨旸

一

中国目前需要怎样的宪法呢？这是人民正在激烈讨论，亟谋解答的问题。但在解答这个问题前，还有一个先决问题，应该弄清楚：那就是中国目前是不是需要宪法？有些人公然说，中国目前不需要宪政，也不需要宪法。他们常是抬出中山先生的“中国国民党第一次全国代表大会宣言”中批评立宪派的那一段来，作为立论的根据。诚然，在那里，曾经这样说：

此派之知识以为今日中国之大患，在于无法。苟能假宪法以谋统一，则分崩离析之局，

> 庶可收拾。曾不思宪法之所以能有效力，全恃民众之拥护；假使只有白纸黑字之宪法，绝不能保证民权，俾不受军阀之摧残。元年以来，尝有“约法”矣。然专制余孽，军阀官僚，僭窃擅权，无恶不作，此辈一日不去，宪法一日不生效力，无异废纸，何补民权？迩者，曹锟以非法行贿，尸位北京，亦尝借所谓宪法为文饰之具矣，而其所为乃与宪法风马牛不相及。故知推行宪法之先决问题，首在民众之能拥护宪法与否？舍本求末，无有是处。故立宪派只知求宪法而绝不顾及将何以拥护宪法，何以运用宪法，即可知其无组织，无方法，无勇气，以真为宪法而奋斗。宪法之成立，唯在列强及军阀之势力颠覆之后耳。

但这只是批评立宪派的只知求宪法，而不能真为宪法奋斗，致所谓宪法只变成一种没有效力的白纸黑字的废物，绝不是根本反对宪法。中山先生自己曾经明白说过“政治上的宪法就是支配人事的大机器”；又说

“我们要有良好的宪法，才能建立一个真正的共和国家”（《五权宪法讲演》）。甚至连他所不满意的《中华民国临时约法》，也还不惜在“更进步、更适宜之宪法”没有制定前，竭力加以拥护。他以为“拥护‘约法’即所以拥护民国，使国人对于民国，无有异志也”（《中国革命史》）。他在讨袁（世凯）的通电中说：

> 夫约法者，民国开创时，国民真意之所发表，而实赖前此优秀之士出无量代价以购得之者也。（《党史稿》）

又在民国七年护法之役，致各友邦的通告中说：

> 中华民国元年“临时约法”，为民国最高之法律。在宪法未施行以前，其效力与宪法等，凡为民国之人，皆当遵守。（同上）

民国九年所作吴宗慈著《中华民国宪法史·上编》的序文更说：

> 宪法者，国家之构成法，亦即人民权利保障者也。四千年之帝制，易为民主，于是，中华民国出现于世界，“民国约法”亦同时产生，此为四万万人民公意之表示也。是故袁世凯以洪宪奸之于前而不可；张勋以复辟乱之于后而辙败；实物之教训，亦可以伐奸雄之野心，而止邪辟之乱萌矣。——吾人怀荀子辟众无门之戒，既以护法为职志，则惟有努力奋斗，期必达目的而后止。

连“约法”尚且为中山先生所拥护，则“更进步，更适宜之宪法”，在中山先生看来，无疑地，是非常必要的了。特别是今天的国际国内情势已和民国十三年那时迥不相同。中国目前必须实施宪政，因而也就必须制定宪法。

二

那末，中国目前需要怎样的宪法呢？我想，一般人会脱口而出，加以答复，说是“五权宪法”。因为中山先生在其所订的“建国大纲”第一条中曾经明白规定：“国民政府本革命之三民主义，五权宪法，以建设中华民国。”所以中国目前需要的宪法是“五权宪法”，殆无问题。什么是“五权宪法”呢？就是以五权分立之原则，而规定“民权运动的方式”的宪法。据中山先生自己说：

> 三权分立为立宪政体之精义。盖机关分立，相待而行，不致流于专制，一也；分立之中，仍相联属，不致孤立，无伤于统一，二也；凡立宪政体莫不由之，吾于立法、司法、行政三权之外，更令考试、监察二权，亦得独立，合为五权。（《中华民国建设之基础》）

为什么要把三权分立改为五权分立呢？他的理由是这样的：

> 然余游欧美，深究其政治、法律之得失，如选举之弊，绝不可无以救之。而中国相传考

> 试之制、纠察之制，实有其精义，足以济欧美政治、法律之穷。固主张以考试、纠察二权，与立法、司法、行政之权并立，合为五权宪法……更采直接民权之制，以实现主权在民之实。如是，余之民权主义遂圆满而无憾。(《中国革命史》)

就是说，和人民所享有的四种民权即政权相对待，政府握有五个治权，而这五个治权，又采“分立原则”，不是集中于一个机关，以免“流于专制”。至于行使这五个治权的，究竟应该是些什么机关，在中山先生遗教中，曾有各种不同的说法。有时说：

> 各县皆得选举一人，组织国民大会，以制定五权宪法，以五院制为中央政府。……宪法制定之后，由各县人民投票选举总统，以组织行政院；选举代议士，以组织立法院；其余三院之院长，由总统得立法院之同意而委任之。(《孙文学说》第六章)

有时说：

> 五权宪法的立法人员就是国会议员，行政首领就是大总统，司法人员就是裁判官，其余行使弹劾权的有监察官，行使考试权的有考试官。(《五权宪法讲演》)

又有时说：

> 在宪政开始时期，中央政府当完成设立五院，以试行五权之制。(《建国大纲》第十九条)

但无论机关如何不同，而五权分立则一。只要实行五权分立，便不失“五权宪法”的纲义。对于你的组织和名称，实无拘泥的必要。如果宪法的规定，使大权集中在大总统一人之手，则纵使设立五院，也不能叫做“五权宪法”。

三

不过，“五权宪法”只是就治权的分立而言，实际，中山先生理想中的宪法，当然不能不对政权也有严重的规定。不仅这样，中山先生的三民主义是不可分的。他绝不会在讲民权主义时，抛开民族主义和民生主义。因而“五权宪法”也绝不能只是限于有关民权主义的规定，而不包括民族主义和民生主义在内。它应该是表现三民主义的革命精神，保障三民主义的革命成果的东西。正确地说，“五权宪法”应该加一个三民主义的修饰语，把它叫做“三民主义的五权宪法”，或者，简直叫做“三民主义的宪法”。

那么，什么是三民主义呢？

《中国国民党第一次全国代表大会宣言》曾经有过“郑重之阐明”，即：

> （一）民族主义。国民党之民族主义，有两方面之意义。一则中国民族自求解放，二则中国境内各民族一律平等。

第一方面，国民党之民族主义，其目的在使中国民族得自由独立于世界。……

第二方面，……国民党敢郑重宣言，承认中国以内各民族之自决权，于反对帝国主义及军阀之革命获得胜利以后，当组织自由统一的（各民族自由联合的）中华民国。

（二）民权主义。国民党之民权主义，于间接民权之外，复行直接民权。即为国民者不但有选举权，且兼有创制、复决、罢官诸权也。民权运动之方式，规定于宪法，以孙先生所创之五权分立，为之原则，即立法、司法、行政、考试、监察，五权分立是也。……

（三）民生主义。国民党之民生主义，其重要之原则，不外二者：一曰，平均地权；二曰，节制资本。盖酿成经济组织之不平均者，莫大于土地权之为少数人所操纵。故当由国家规定土地法、土地使用法、土地征收法及地价税法。私人所有土地，由地主估价呈报政府，国家就价征税，并于必要时，依报价收买之。

> 此则平均地权之要旨也。凡本国人及外国人之企业，或有独占的性质，或规模过大为私人之力所不能办者，如银行、铁道、航路之属，由国家经营管理之，使私有资本制度不能操纵国民之生计。此则节制资本之要旨也。举此二者，则民生主义之进行，可期得良好之基础。

“三民主义的真释具如此”，在宪法中必须把它表现出来。

本来，关于这些，在“建国大纲”中，曾有更具体的规定。这些规定可作为宪法的依据。固然“建国大纲”是属于纲领一类，和宪法性质不同。但纲领所规定的内容，在它已经实现之后，当然也就成为宪法的内容。纲领是要求在事实上实现某些东西，而宪法正是保障这些在事实上已经实现的东西。纲领是宪法的基础，宪法是纲领的成果。二者性质虽不同，而关联则密切。因此，“建国大纲”所规定的内容，可以作为宪法的依据。

四

此外，在中山先生所理想的宪法中，也就是在中国目前所需要的宪法中，还有二件事，必须作适当的规定。第一，就是怎样确定中央和地方的关系，怎样划分中央和地方的权限，依中山先生的意思，是应该采取均权制度的。他说：

> 夫所谓中央集权或地方分权甚或联省自治者，不过内重外轻、内轻外重之常谈而已。权之分配不当以中央或地方为对象，而当以权之性质为对象。权之宜属于中央者，属之中央可也；权之宜属地方者，属之地方可也。(《中华民国建设之基础》)

所谓“地方”，依“建国大纲”第十七条规定，则是指“省”。该条规定说：

> 中央与省之权限，采取均权制度。凡事务

有全国一致之性质者划归中央；有因地制宜之性质者，则归地方；不偏于中央集权或地方分权。

很明显，这里所谓“地方”就是指“省”了。

第二，就是怎样保障人民的自由权利？中山先生曾说，宪法是人民权利的保障者。他不满意民国元年的“临时约法”，就是因为它“没有规定具体的民权”，他除了主张给予人民以直接民权即四种民权外，并主张“确定人民有集会，结社，言论，出版，居住，信仰之绝对自由权”（民国十二年一月一日，《中国国民党宣言》），或说“确定人民有集会，结社，言论，出版，居住，信仰之完全自由权”（《国民党政纲》）。说是“绝对”，说是“完全”，可见是毫不许侵犯、限制和剥夺的了。

五

“五五宪草”是不是能够表现三民主义的革命精神，足以成为中国目前所需要的宪法呢？我认为它对于三民主义的革命精神的表现还不够充分，不够完全，因而它要成为中国目前所需要的宪法即三民主义的宪法，便不能不加以必要的修改。例如关于少数民族，它并没有给予他们以“自决自治权”的具体规定！更不能表现“各民族自由联合”的精神；又如关于人民的自由权利，它不采取宪法保障主义，而采取法律保障主义，给予立法机关以侵犯、限制和剥夺人民自由权利的机会；还有关于地方制度，也没有充分表现均权制度的精神，既不许人民选举省长，又不许人民制定省宪，而地方的权限，也不明白规定于宪法；把它的划分，一概委诸法律。诸如此类，应该修改的地方很多。这里，限于篇幅，不暇多谈了。

几种宪政国家及其宪法

邓初民

人们常说，“宪法是一国的根本法”，或说，“宪法是人民权利的保证书”，又或说，“宪法是规定政府组织及人民与政府间各种权利与义务的根本规则或法律”。——这些说法，并不错，但却只说明了问题的一半或一部分，或只触到了问题的表面与现象，而不会把握问题的核心与本质。因此，另外一个宪法定义，值得我们把它从满天云雾的层层包裹中剔拔出来，它具体的规定如下：

一、宪法即“组织”，“制度”，“原则”，“基础”，“规则”之意。

二、国家宪法即国家制度的意思。

三、国家制度是由各种社会力量的相互关

系，即各社会成分间的相互关系来决定的。

四、国家制度表现于成文宪法，所谓成文宪法者，便是关于某国国家组织最重要的或基本的法律。

这个宪法定义的最大长处，是在它首先揭出宪法就是制度、组织等等。国家宪法就是国家制度的反映，或由国家制度所表现出的一种形式，而所谓国家制度，即是国家构成体制，即是某一国家是以一些什么社会成分作主体来构成一种体制，所以说，“国家制度是由各种社会力量的相互关系，即各社会成分间的相互关系来决定的”，由“国家制度表现于成文宪法”，宪法是形式，是条文，而其具体内容是国家制度，是某一国家拿一些什么社会成分作主体来构成的体制——是贵族地主，是工商业者，还是工业大众？

只有把这一点弄明确了，宪法才有着落，国家根本法的“根本”才有着落，宪法所保障的权利才有着落。不问表现于成文宪法者是什么国家制度，不问国家构成的体制，是以什么社会成分作主体，而单从宪法的条文来研究宪法的好坏、长短、优劣，如一般学院式的宪法学者单从宪法的外形把它分为成文宪法和不成文宪法，单从宪法修改手续的难易把它分成刚性宪法和柔性宪法，单从宪法制定的来源把它分成钦定宪法和民定宪法，……从而是甲非乙，右丁左丙，将一无是处。

宪法是变的，因为国家制度是变的，因为构成国家体制的社会成分是变的。更具体的说，因为任何社会经济结构是变的，整个历史是变的，宪法怎样变呢？它必须变得更加适合于其所反映的国家制度，变得更加适合于其所反映的现阶段的各社会成分间的相互关系，变得更加适合于其所反映的现阶段的社会经济基础。这样，就把宪法从其他的政治法律条文区别出来了；就把“宪法”与“纲领”区别出来了。任何宪法起草委员会，在它起草新宪法草案的时候，它的出发点必须认识“宪法”是不能与“纲领”混淆的，因为纲领是要说还没有的东西，是要说应当在将来达到和争取的东西；相反的，宪法应当说已有的东西，说现在已经真正达到和争取到了的东西；纲领主要是指明将来，宪法是指明现在。换言之，宪法是表现已经走过的道路的总结，已经达到的胜利的总结，已经争取到了的各种权益的总结。因此，它是记载和用立法的方法巩固事实上已经达到和获得的东西。不像纲领和宣言一类的文字，只是宣扬将来的胜利或规定将来要做到和达到怎样的目标。

惟其如此，所以凡属不是记载事实上已经达到和获得的东西的宪法，尽管规定得十分周到，十分革命，十分进步，十分好听好看，都将是一种具文。法国一七九三年的宪法，是法国人民公认为最好的一部宪法，但从未实行。就是我国的“临时约法”及民国二年国会完成的“天坛宪法草案”，也不算坏，但一样是白纸上的黑字，毫无灵验。至于事实上已经达到和获得的东西，如果应该接受这些东西成果的社会成分，无力保持这些已得到的东西，尽管由于一时的胜利而把这些胜利品已经记载在宪法上了，而这种宪法也是要被人扔在字纸篓里去的。法国一七九三年的宪法所以从未实行，就是由于当时法国代表小资产层的山岳党的失败，中国“临时约法”及“天坛宪法草案”之一样成为白纸上的黑字，就是由于当时的失败。而且再明白不过，袁世凯操纵的约法会议所制定的“中华民国约法”；袁死了，他的“中华民国约法”也殉葬了；曹锟的贿选宪法（他美其名曰“双十宪法”），也只是昙花一现，这还不足以证明宪法是“记载和用立法的方法巩固事实上已经达到和获得的东西”这句话的实在吗？不仅此也，它还证明什么社会成分制定的宪法是反映什么社会成分的利益的。袁世凯的“中华民国约法”是反映袁世凯及他那一集团的利益的，曹锟的贿选宪法是反映曹锟及他那一集团利益的。

这样，我们要观察某一国或某几国的宪政，还是应该从它的宪法的条文即其形式去观察呢，抑是应该从它的宪法背后的国家制度、社会成分的相互关系即其实质去观察呢？毫无疑义的应该从后者来观察，这不是贬低宪法的价值，这正是提供正确的认识宪法及其价值的方法。

为着真正获得正确解答问题的可能，而不为许多学院式的定义以及一切不着边际的五花八门的搬弄字句所迷惑，社会科学告诉我们：无条件的要求把问题放在一定的历史范围之内。这就是说在观察每一个问题时，要问历史中的一定现象是如何产生的，这一现象在自己的发展中经过那些主要的阶段，并且从它的发展的观点上去观察它现在成了什么样子，那么，宪法、宪政国家的产生，自然是历史中的一定现象，有其一定的社会经济基础，有其一定的社会成分作背景，而且从它三四百年（从十七世纪英国革命算起到现在，或从十六世纪的尼德兰革命、德国宗教改革运动算起到现在）的发展史来看，显然经过了两个主要阶段：一是垄断以前的资本主义阶段；二是资本主义最后阶段的帝国主义阶段。因此，我们要观察某一国或某几国的宪政及其宪法，首先就要问某一国或某几国宪政的产生，是处在那一阶段——垄断以前的资本主义阶段？还是最后阶段的帝国主义阶段？历史阶段不同，某一国或某几国所具有的民族特点不同。换言之，各国所具有的社会经济状况、各社会成分的力量对比不同，跟着它们的国家制度——宪政——宪法也不同。

我们在这里是不能把所有宪政国家，都拿来一个一个加以论列；也不能把所有宪政国家，不问其所处的历史阶段，笼统的拿来一个一个加以论列，而是抉择其有代表性的几国，更因其所处的历史阶段不同，把垄断资本主义以前的英、法、德、美，垄断资本主义时代亦即帝国主义时代的俄国——苏联、土耳其，当做几个宪政国家的类型论列于后。

首先，我们来看英国。如果“国家宪法就是国家制度的意思”，“国家制度是由各种社会力量之相互关系，即各社会成分间的相互关系来决定的”，那么，英国的宪政，也就是应由其革命过程中及革命后各社会成分间的相互关系来决定的。英国革命的主要阶段，约自一六四〇到一六六〇年。所谓主要阶段的意思，即人们说到英国革命时总是指的这一时期。这一时期的大事件是克林威尔领导大革命开始，查理士第一被判死刑，英国一时成为共和国。后经一六八八年的第二次革命（某些史家称之为“不流血革命”或“荣誉革命”），迫走詹姆士第二，迎威廉第三为王。后经一八三二年的选举改革运动，一八三九年开始的“宪章运动”，一直到一九一八年第四次选举改革运动。它的革命任务，是反对封建残余的统治，建立统一的民主的民族国家。结局是国王与贵族的统治形式被继承下来，可是有产者群却实际支配了全国的政治，于是就形成了英国式的君主立宪的民主政治制度。这就是一直到现在为止的英国的宪政，亦即英国的民主政治。这种宪政的具体内容，才反映为英国的不成文宪法，如所谓“国会一权制”、“内阁制”等等。严格的说，当时英国是一个无宪法的国家，要勉强说有，它的宪法只是寄托在一二一五年的“大宪章”，一六二六年的“权利请愿书”，一六八九年的“权利法案”三大文件，以及许多国会的法案，法院的判例，乃至一些政治成规、社会习惯里面的。所以我们只能从英国的宪政来看英国的宪法，不能从它的宪法来看宪政。

法国革命的主要阶段是一七八九年，这是大家都知道的。革命爆发后的大事件，是打破“巴斯地”监狱，处路易十六以死刑，成立共和政府，制定有名的一七九三年的宪法。后经一八〇四年拿破仑称帝，一八一四年路易十八复辟，一八三〇年七月王政（路易·费立浦继查理士第十为王），一八四八年二月革命、六月暴动，一八五二年路易·拿破仑称帝，一八七〇年路易·拿破仑失败，第三共和开始（这次共和一直维持到维琪政府出现以前）。它的革命任务，是推翻君主专制政体及贵族与教会权力，取消封建等级制度，建立民主共和国。结局是经过了七八十年广大民众反对复辟争取民主的斗争之后，才建立了法国式的民主共和制度。这即是一直到维琪政府出现以前为止的法国宪政，亦即法国的民主政治。这种宪政的具体内容，才反映为法国的成文宪法，尤其是一八七五年的法国成文宪法（它是法国第十二次制定的宪法，也是它实行至今的最后一次宪法）。所以我们也只能从法国的宪政来看法国的宪法，不能从它的宪法来看宪政。否则法国革命七八十年，制定宪法不下十二次，而且就其内容来说，一七九三年的宪法是最好的一种，而一八七五年的宪法（即第十二次亦即最后一次的宪法），则条文简单，并没有把法国著名的代表人民革命要求的“人权宣言”列在篇首（以前有几次的宪法是把“人权宣言”列在篇首的）。那么，我们如果从法国的宪法来看法国的宪政，则将有无所适从的困难。

十八世纪法国的大革命与十七世纪英国革命，自然是有些程度上的不同的，如说：法国革命“正是第一次实行斗争到底，直至交战的一方（贵族）被消灭，而另一方（资产阶层）完全胜利”。又如说：“在法国，革命完全与过去的传统断绝关系，扫荡封建制度的最后遗迹”；而“在英国则革命前的制度与革命后的制度并存，地主和资本家妥协……”但英法两国革命的任务和结局，在大体上都表现根本的一致，因此，英国的宪政与法国的宪政，可以当做一个类型看。

德国革命的主要阶段，是在一八四八年。革命爆发后的大事件，是三月十八日广大游行示威群众，径与军警发生冲突，国王发表告柏林民众书，正式允许召集会议制定宪法。后经一八五〇年普王威廉第四颁布宪法、实施宪政，一八六二年俾斯麦任普鲁士宰相，一八六六年普奥战争、击败意大利，一八七一年普法战争、战胜法兰西、俘虏拿破仑第三、成立德意志帝国，一九一八年第一次世界大战失败，一九一九年八月十一日公布施行“威玛宪法”，一直到一九三三年希特勒执政为止，它的革命任务，是反对封建势力的统治，封建的土地占有与封建的割据状态。但一八四八年革命的结局，可以说是失败了。它没有推翻君主专制政体，没有摧毁农村中的封建剥削关系，没有实现德国的统一，所以有人说：“一八四八年的德国革命，是没有完成的、流产的、半途而废的革命。”此后德意志帝国的成立，是由多少代表封建势力的铁血宰相俾斯麦用自上而下的方法来实现的。惟其如此，所以我们可以说目前希特勒法西斯的野蛮统治，在某些意义上也是继承了德国旧时封建残余的许多残酷暴虐的传统的，以上就是一直到希特勒执政以前为止的德国宪政。这种宪政，显然自成为一种德国的类型。

美国革命的主要阶段，是由一七七六年到一七八三年，革命爆发后的大事件，是发表宣言，宣布美国十三州独立；同时，拟定“联邦规则”，成为美国第一次非正式的宪法。独立战争开始，根据“联邦规则”，建立临时革命政府，独立战争胜利，“巴黎和约”成立，英国根据和约承认美国独立。后经一七八四年，费城开宪法会议，草定新宪法，一七八八年各州正式承认新宪法，一七八九年，根据新宪法成立联邦政府，举华盛顿为第一任大总统。一八六一年南北战争（解放黑奴战争），一八六四年北方获胜，解决了美国民族统一任务，一直到现在为止，它的革命任务，主要是民族独立与统一，形成了较其他的宪政国家远为进步的民主共和国。同时，它消灭了英国对它的民族压迫的障碍，并且其新大陆的本土没有很严重的封建关系的障碍，所以它的资本主义的生产力，能够得到迅速的畅快的发展，到达二十世纪，它便成为第一个最富有的强国了。以上就是一直到现在为止的美国宪政，这种宪政，又自成为一种美国类型。

因为它们的主要革命阶段，都发生在垄断资本主义以前，所以以上英、法、德、美四国，都是垄断资本主义以前的几种宪政国家的类型。

在说明了垄断资本主义以前的几个宪政国家比较标本的类型之后，我们就来说一说垄断资本主义时代（亦即帝国主义时代）几个宪政国家比较标本的类型。

这，我们首先就要说到俄国。俄国民主革命的主要阶段，一般的是指俄国一九〇五到一九一七年二月的革命，这是帝国主义时代的一种民主革命。这一革命具有许多新的特点，这首先由于当时民主革命所由发生的俄国，是一个军事的封建的帝国主义国家。革命爆发后的大事件，是一九〇五年一月二十二日圣彼得堡工人，因受厂主开除而罢工，同时要求俄皇尼古拉第二召集立法会议，结果发生“赤色星期日”惨案；同年，八月十九日，尼古拉第二宣布明年一月召集国会。一九〇六年尼古拉第二被迫召集第一次国会，旋即解散。一九〇七年，尼古拉第二召集第二次国会，又被解散；同年十一月召集第三次国会。一九一三年改选第三次国会，成立第四次国会。一九一七年“二月革命”成功，俄罗斯帝国毁灭；同年“十月革命”成功，民主革命便转变为社会主义革命了。就其民主革命的特点来说，是在于俄国民主革命的中心问题，是土地革命；革命的结局，是推翻了沙皇制度，建立了工农民主专政。这是帝国主义时代民主革命概括的特点，较之垄断资本主义以前的民主革命是不同的，尤其在俄国“十月革命”成功，把民主革命转变为社会主义革命以后，全俄苏维埃大会便决定把俄国改为“俄罗斯苏维埃联邦社会主义共和国”，简称“苏俄”。一九一八年一月，第三次全俄苏维埃大会发表“劳动者及被剥削人民权利宣言”，成为将来苏俄宪法之重要成分。同年七月，第五次全俄苏维埃大会通过“苏俄宪法”。一九二二年，苏维埃社会主义共和国联盟成立，简称“苏联”。一九二三年七月六日第一届全苏维埃大会中央执行委员会通过“苏联宪法”，现称“苏联旧宪法”，一九二四年公布施行。一九三六年十二月五日，第二届苏维埃全体特别大会通过“苏联新宪法”，亦称“史大林宪法”。“苏联新宪法”，可以说是对于“苏联旧宪法”的修改，其理由最主要的有二点：

> 一、是更确定宪法的社会经济基础，使宪法适合于苏联现阶段社会力量的相互关系；
>
> 二、是把宪法与纲领区别出来，纲领或宣言是宣扬将来的胜利的东西；而宪法则是表现已经走过的道路的总结：应达到的胜利的总结。因此，它是记载和用立法的方法巩固事实上已经达到的和获得的东西。

这是苏联的宪政，它与英、法、德、美各国的宪政相较，是一个新的类型，由英、法、德、美各国的宪政反映出来的宪法，较之由苏联的宪政所反映出来的宪法，也具有其不同的特点：

> 一、英、法、德、美各国的宪法，是从资本主义制度永久存在的信念出发，宪法构成的

主要基础，就是资本主义原则；苏联的宪法，则是从社会主义制度实现的事实出发，宪法构成的主要基础，就是社会主义原则。

二、英、法、德、美各国的宪法，虽未经明文规定，实际上，还保存着各民族的不平等的成分，有享有完全权利的民族，也有无完全权利的民族，甚至还存在着第三种的民族或种族，譬如它所属领的殖民地。苏联的宪法，则认为一切民族和种族，不管它们的过去和现在的状况怎样，不管它们的强弱、文野程度怎样，不管它们的肤色和语言怎样，都应当在一切经济的、社会的、国家的、社会文化生活的范围内享有同等权利。

三、苏联的宪法与英、法、德、美各国宪法另一不同之点，就是从民主主义的观点看来，其他宪政国家的宪法，虽很少或没有直接否认公民平等权利和自由，甚至还标榜民主主义的原则，但是却加上一些条件与限制；苏联的宪法，就在于把一切条件与限制都取消了。

四，最后，苏联宪法与英、法、德、美各国宪法不同之点，就是后者的宪法通常仅限于规定公民形式上的权利，而不注意实行这些权利的条件；苏联宪法则不仅规定了公民形式上的权利，而且把重心放在保障这些权利，放在实现这些权利的物质条件的问题上。

我们再说到土耳其。土耳其的革命，是一九二〇年到一九二三年的革命，这也是帝国主义时代的民主革命。土耳其在革命以前，是有名的“近东病夫”，是一个半殖民地半封建的国家，而且其国内封建势力异常浓厚，土地大部分集中于回教主与大地主手中，土皇政府就是建筑在地主、教主势力之上的军事封建统治。在这样一个半封建国家内，工业极不发达，因之有产者与工人的势力亦均不强大。尤其是自十六世纪以来，列强实力逐渐侵入，造成许多不平等条约。例如外人在土享有种种政治的经济的特权；土国对外商业及金融事业，大部分操在外人手中；交通如电信、铁路，亦多为外国公司所经营；海关不能自主，便在事实上成为列强所支配的半殖民地。自第一次世界大战失败以后（当时土国参加德国方面），土耳其政府于一九二〇年与协约国订立极端屈辱的“色佛尔条约”；协约国军队当时已控制首都君士坦丁堡，希腊军队也趁机占领其在小亚细亚领土（土麦拿一带）。在此时，土耳其已处在完全亡国的威胁之下，于是以基马尔为代表的土耳其民族资产阶层，主要是民族的商业资产阶层（由于工业不发达，工业资产阶层很少），一面集合土耳其革命青年，着手组织土耳其国民党，一面训练军队准备与敌人一战。革命爆发后的大事件，是一九二〇年土耳其国民党提出“国民公约”六条，力言须根据民族自决之原则保全土耳其领土，要求君士坦丁堡之安全，最后宣言断然反对在政治上、司法上、财政上阻碍土耳其发达的任何限制；同年三月，基马尔正式宣告不承认君士坦丁堡的旧土皇政府，四月二十三日召集昂哥拉会议，称“国民议会”，议定根本组织法二十三条。一九二一年三月与苏联缔结协定，并取得其切实援助。一九二三年七月二十四日签订“洛桑条约”；“洛桑条约”的结果，恢复了土耳其丧失的若干旧领土，并废除了一切不平等条约；同年十月国民会议宣言实行共和制，推基马尔为大总统。一九二四年四月制定土耳其民主共和国宪法。到此为止，它的革命任务，是一面反对帝国主义，争取民族独立，一面反对封建残余，实行土地革命，因此，它的民主革命在客观上有两个阶段：一是以民族解放运动为中心的阶段；一是以土地革命为中心的阶段。可是由于其革命动力与革命领导的特点，使得它的革命尚停顿于第一阶段，而第二阶段则没有实行。结局是经过了一九二〇年到一九二二年的反英、反希的民族独立战争的胜利，经过了洛桑会议席上的斗争，使得土耳其能在一九二三年十月决定建立民主共和国。但由于土耳其只实行了民族革命的一个阶段，而没有转入第二阶段，使得土耳其农民及工人，还要忍受严重的封建关系的压榨，使得土耳其社会的往前发展，还要受到这种关系的极大障碍。这是土耳其的宪政，亦即土耳其的民主政治，它是产生在垄断资本主义时代，亦即帝国主义时代的一个宪政国家，它有它的民族与时代的特点。它自然也成为一个新的或另外的一种类型。

在垄断资本主义时代，亦即帝国主义时代，代表着一种另外的民族特点，值得我们特别重视的新类型的宪政国家，本来还有我们中国，我们绝对不可把它忽略，尤其是在世界民主潮流高涨，我们正在准备实施宪政，开始民主动员，争取抗战建国最后胜利的时候，我们更应该重视它。从它的社会经济的具体分析，到社会成分间相互关系的具体分析，一直到社会生活的其他各方面，例如现行政治制度和社会思想，把它作全面的观察，借以发掘出其宪政的本质来，这是自然的。惟其我们特别重视它，我们便只有把它留下来另作专篇论述。

不过从上述各种宪政国家的论述里面，不管它是属于那一历史阶段——垄断资本主义以前的阶段，或垄断资本主义阶段，亦即帝国主义阶段；不管它是属于那一类型——英法的类型，或德国的类型，美国的类型，乃至苏联的类型，土耳其的类型，都证明了"国家宪法就是国家制度的意思"，"国家制度是由各种社会力量之相互关系，即各社会成分间的相互关系来决定的"。同时，也证明了"宪法"与"纲领"不同。纲领或宣言，只是宣扬将来的胜利的东西；而宪法则是表现已经走过的道路的总结，已经达到的胜利的总结，已经争取到了的各种权益的总结，因而它是记载和用立法的方法巩固事实上已经达到和获得的东西的记录。宪政的具体内容才是实质，宪法只是抽象的形式与条文。我们只能从宪政来看宪法，不能从宪法来看宪政，因而是有怎样的宪政才有怎样的宪法。重要的是宪政的实质，不是宪法的条文。要有良好的真能保障人民大众利益的宪法，必须先有良好的真能顾到人民大众利益的宪政。人民大众必须把真能顾到人民大众利益的宪政实现，才用宪法把它巩固起来，用立法的方法把它巩固起来。这种把事实上已经达到和获得的东西记录下来的宪法，这种由人民大众所手制的宪法，才是良好的宪法——不论它是刚性、柔性的也好，不论它是成文、不成文的也好，不论它是内阁制、总统制也好，不论它是一院制、两院制也好，否则将一无是处。

专制主义的日本宪法

张友渔

一

日本这个法西斯侵略国家也有一部宪法。这部宪法不是民主主义的宪法，而是专制主义的宪法。它是日本民主运动亦即宪政运动失败的产物；是大资本家、大地主和天皇制三位一体的专制政治机构的法律的表现；是大资本家和大地主集团的权力和利益的立法的保障和巩固。在这样的宪法之下，人民大众是不能享受到真正的民主自由权利的。我们中国所需要的宪法，绝不是这样的宪法，绝不应该受这样的宪法的一些影响，沾这样的宪法的一些气味。但无可讳言，在中国的政治家、政治学者，特别是宪法学者之间，曾经有些人，或多或少，受着日本宪法的影响，却是事实。甚至我们可以说，这种影响现在虽然潜伏着，不像过去那样，公然表现出来，但并没有完全肃清。在我们研讨宪法的今天，彻底肃清这种影响是必要的。而为了肃清这种影响，对于专制的日本宪法，无情地，暴露其反动的本质，而加以严厉的批判和抨击，实为必要的工作。

二

当明治维新之初，日本的民主运动也曾高涨一时；尤其在理论斗争上，是民权论占着了优势。在各大报纸中，只有被称为“御用新闻”的《东京日日新闻》是站在君权论的立场，作着四面楚歌的“孤军奋斗”。该报的主笔是所谓第一流名记者福地源一部。他的一支健笔，本来是被称为可以“横扫十万军”的，但因为理不直、气不壮，终不能不陷于失败的境地。他自己也曾说：

> 我对于这种主权在君主说，自始便具有极深的信心，而以为不是这样，则不能谋我帝国

的安全与无穷，所以屹然当论难之冲而不动。但外国政治学家的主张如何呢？我曾遍翻各书，以觅可以援助我的主张的学说，却不幸我平素所敬服的英美各大家的学说，都和我所主张的不同，而只表示着反对的论旨！因此，我日夜搜罗的书籍，全不利于我，而反变成敌人的兵器、弹药。到这时候，我也不免落胆而失色了！

可怜我不能读德文，虽想在德国大家的议论中，发现和我的主张相同的名论，以作为驳倒敌人的材料，但没有什么方法，因而就已知诸氏，询问德国大家的学说，关于主权论，究竟主张如何？但任何人都没有能够给予明了的说明。故我仅以渡边安积、关直彦二氏为友，而从英美书籍中搜集零碎材料，专供防御之具。自今日回想，则我当初的论据的薄弱，是不足怪的。

民权论者主张主权在民而不在君，因而也就主张宪法应该是“协约宪法”而不应该是“钦定宪法”。像自由党左派、急进的民权论者植木枝盛氏所主张：

> 所谓宪法也叫做国宪或又叫做根本法。它是一个国家的最大的基础的规则。最初，先由君民共同商议而制定，主要是记载着君有怎样的权利义务，民有怎样的权利义务。此外，就一切政治上的做法，也揭载其大纲领；纵使是君和政府等，也都不能任意变更，必须常依循它的规定，而尽其当前的职分。
>
> 国家是万人集合而成的东西，故非确实制定互相同意的宪法，则到底不易治理。

这就是说，宪法的制定必须出自人民大众的公意，而不能出自君主一人的私意；宪法的内容不是单规定人民的权利义务，同时也规定君主的权利义务；不仅人民应该服从宪法的规定，而且君主和政府也必须受宪法的规定的拘束。如果政府违背宪法，则如后面所举“日本国国宪案”的规定：“日本人民得拒绝服从”；甚至“政府若任意违背宪法，擅自残害人民的自由权利，妨碍建国的旨趣，则日本人民得颠覆它，而建设新政府”。当时，在民权论的影响之下，关于将来应该制定的宪法的内容，曾有种种民间的“私拟宪法”出现，例如福泽谕吉一系的所谓“交复社案件”，小野梓的“私拟宪法意见”，田口卯吉的“嚶鸣社案”等。就中，最能表现有产者层民主的要求的，要算中岛信行们的“日本国国宪案”。它主张着：人民享有没有任何限制的集会、结社、思想、产业的绝对自由权；它主张着：人民享有抵抗权，拒绝服从权，罢免官吏权，建立新政府权；它主张着：政府宣战，媾和，缔结条约，必须向“立法院”报告；它主张着：限制政府的解散议会权，排斥政府的不认可权；它主张着：由“立法院”制定军律，预算案只有经“立法院”通过，才能成立。此外，更主张立法权优于司法权，“立法院”有任免法官权。这样的宪法如实现，则虽仍没有废除君主制度，但也可以算做英国式的君主立宪了。

不幸，日本的有产者群中途叛变革命，而和封建势力妥协，遂致民主运动也就是宪政运动，归于失败。虽然挂起宪政的招牌，但那是专制主义的宪政；虽然制定一部君主立宪的宪法，但那是专制主义的宪法。

三

日本的这部专制主义的宪法，是在帝政派领袖伊藤博文主持之下制定的。据当时参加宪法起草的金子坚太郎说：

> 伊藤博文滞留柏林一年半，明治十六年秋归国，将欧洲各国宪法材料尽量搜集，尤注意于法德英三国宪政状况。认为法先倒帝政而成共和，旋倒共和，又成帝政，更倒帝政而又成共和；如此，反复无常，实皆由于学者创导主权在民之说所致。当时的法国，无论是皇帝或总统，皆由人民自由选举，任意改造，故机关说之理论，由此确立。次查德国议会有上下二院，上院系由各联邦王国代表所组成，下院议员则由人民选举产生。因受法国主权在民之说

所传播，故民权思想也极发达，虽经俾斯麦竭力排斥，迄无效果。一议会内有此二种立场不同、利害各异的两院相互对立，势犹冰炭的不能相容，致使政治发生许多困难。从德皇建设联邦帝国论，更从其议会组织论，认为皇帝是机关也未尝不可。至于英国宪法，原为不成文宪法，调查极感困难。在其历史的演变上，对皇帝不敬事件，迭有发生。最有名的“大宪章”，就是当时英王约翰受贵族和人民逼迫而颁布。由此演成君民共治，为英国政治的基本原则，也就是君主、贵族、人民三者共同治理英国。综观以上三国施行宪政情形，都绝对不能吻合日本国体。

这就是说，不仅民主共和的法国以及君主立宪的英国的宪法，不合日本的国情，而且连半专制的帝国——德国的宪法，也不能完全采用。日本所需要的是更反动的专制主义的宪法。明治二十二年二月十一日所颁布的日本宪法，就是这样的一种宪法。

这样的宪法，不待说，是“天皇中心主义”的宪法，是“君权至上主义”的宪法。伊藤博文曾说：

国家就是君主；君主也可说就是国家。

他所制定的宪法，就是表现这种精神。它的第一条，开宗明义即规定着：“大日本帝国以万世一系之天皇统治之。”第三条更规定着：“天皇神圣不可侵犯。”国家的统治权是全部握在“天皇”手里，像第四条所规定：“天皇为国家之元首，总揽统治权。”所谓“总揽”，就是不论立法、司法、行政，一切权力都集中于“天皇”一身。像伊藤博文所说：“君主亲掌立法、行政的大权。不得君主允许，没有法律可以成立；不得君主承诺，便没有执行的首脑。”立法权是“天皇由帝国议会之协赞行使”（第五条）；“法律要经天皇之裁可，而‘命令公布权行之’”（第六条）；“天皇为保持公共之安全或避免其灾厄，依紧急之必要，于帝国闭会期间”，还“得发布敕令，代替法律”（第八条）；“天皇为执行法律，保持公共安宁秩序及增进臣民之幸福计，得发布或使发布必要之命令，且得以命令变更法律”（第九条）。“天皇”是口衔天意，可以随意立法，随意毁法的。“司法权”呢？不错，是司法机关“裁判所”“依法律执行”，但却是“以天皇之名义”来执行（第五十七条）；而所谓“皇族”，尤非经敕许、裁判所不得拘捕或传唤“皇室典范”（第五十一条）。至于行政权，当然更是专属于“天皇”，“各国务大臣”只是“辅弼天皇、各尽其职责”。在日本宪法上，并没有内阁制度和总理大臣的明确规定，事实上虽然是依据所谓内阁官制，采取着所谓“责任内阁制”，但军部大臣是可以独立独行，不完全受内阁拘束的。宪法明白规定“陆海军由天皇统治之”（第十一条）；“陆海军之编制及常备军额，由天皇规定之”（第十二条）；“宣告戒严，由天皇命令之”（第十四条）；甚至“宣战、媾和及缔结诸般的条约”，也“由天皇行使之”（第十三条）。这些都是所谓“天皇的大权”，而“辅弼天皇”，行使这些“大权”的，又不是整个内阁或总理大臣，而是军部大臣和“军部”，这些都表示日本宪法的基本精神是“天皇中心主义”和“君权至上主义”。

在这种宪法里，议会必不能占着重要地位是毫无疑义的。有人以为“日本宪章”全部条文，只有七十六条，而第三章关于帝国议会的规定，便占二十二条，足证伊藤博文起草宪法时，是如何重视议会！这真是皮相之见。其实，当伊藤博文主持起草宪法时，是固守着德国反动的宪法学者古奈斯特的意见，而力谋阻制议会的权力的。古奈斯特告伊藤博文的，是：

> 日本纵然召开议会，但外交、兵制、经济三者，绝不可容许议会有置喙的余地。
>
> 若尽把许多政权付与议会，则政府即须受议会所役使。如财政上的事项，全权归与议会，则政府将受议会的豢养，而必受它的役使。又若制定岁入权完全付与议会，则政府自身便不能进行政治，终至大臣辞职，议会并得依其多数的决议而推任大臣。

依据这样的意见所制定的宪法，能够给予议会以怎样的地位？怎样的权力？那是不待智者而可知的。从那二十二条“关于帝国议会”的规定的条文中，我们可以看出日本议会只是一个“天皇”的协赞和建议机关，而不是代表人民的最高权力机关；它只是一个协赞“天皇”行使立法的机关，而不是握有完全立法权的最高立法机关。别的国家的议会所具有的权限，它是不完全具有的。它没有干预陆海军的编成，常备兵额的决定以及军队的统帅的权限。如前所述，这些都是属于“天皇”的“大权”，而依伊藤博文自己的解释，是“议会不得干涉之”的。它也没有过问戒严、宣战、媾和以及缔结一切条约的权限，这些也都属于“天皇”的“大权”。而作为“天皇”的咨询机关，对这些事情的决定，起着重要作用的，是枢密院，不是议会。它并没有修正宪法的发案权，依宪法第七十三条的规定，“本宪法条项有修正必要时，应以敕令，将议案付议于帝国议会”，就是发案权在“天皇”，而不在议会。至日本特有的所谓“皇室典范”的修正，不须经议会的决定（第七十四条），更不待说；甚至议会自身的集会也和一般民主国家不同，不是按期自行集会，而是由“天皇”召集。只有立法权，的确，并没有完全被剥夺，像宪法第三十七条规定：“一切法律须经帝国议会之协赞。”第四十条规定：“两议院关于法律或其他事件，各得建议其意见于政府。”但只是协赞，只是建议，纵使可以牵制内阁，但却不能拘束“天皇”。何况如前所述，宪法明白规定，“天皇得发布敕令，代替法律”，“得发布或使发布必要之命令，且得以命令，变更法律呢”？此外，关于成为议会极重要的权限的预算审议权，也受着了极大的限制。固然，宪法第六十四条规定：“国家之岁出岁入，每年以预算规定之，并须经帝国议会之协赞。”但所谓“基于宪法上大权既定之岁出，及依法律之结果，或属于法律上政府义务之岁出”，“不经政府之同意”，议会是“不得废除或削减之”的（第六十七条）。另一方面，“为保持公共之安全，于紧急需要之场合，且因内外之情形，政府不能召集帝国议会时，得依敕令，为财政上必要之处分”（第七十条）。并且依第七十一条的规定：“预算案，如帝国议会不得议定或不成立时，政府得施行前年度的预算。”这样一来，议会的预算审议权，也变成了有名无实的东西了。日本宪法所给予议会的权力就是这样小得可怜；议会在宪法上所占的地位，就是这样不重要。

自然，随着日本资本主义的发展，日本议会也会在日本政治史上起过重要的作用。但这是事实演变的结果，而不是从宪法产生出来的。日本议会在宪法上，原是不占重要地位的啊！

和立法机关的议会相对比，日本宪法关于行政机关的中央政府，虽然仅规定着“各国务大臣辅弼天皇，各尽其职责；凡法律，敕令及有关其他国务之诏敕，均须经国务大臣之副署”（第十五条），这么一条，好像更不值重视。但实际上，就它和“天皇”的关系而言，固不过是一个辅弼机关，而就它和议会的关系而言，则地位重要得多，权力要庞大得多。像前面所述，“天皇”是“总揽”着“统治权”的，但关于行政部分的所谓“大权”，事实上，是经过实际上执行的内阁去行使；“天皇”颁布法令诏敕，要经过国务大臣的副署，这样一来，“天皇”的“行使大权”就变成“内阁”的“大权”，“内阁”可以“挟天子以令诸侯”了。例如宪法第七条所规定“帝国议会之召集、闭会及众议院之解散，由‘天皇’命令之”；第八条所规定“‘天皇’为保持公共之安全，又避免其灾害，依紧急的必要，于帝国议会闭会期间，得发布敕令，代替法律”；第十条所规定“行政各部官制与文武官俸给之规定以及文武官之任免，由‘天皇’命令之”；第十五条规定“‘天皇’，授予爵位、勋章及其他之荣典”；第六十七条所规定“基于宪法上‘大权’既定之岁出及依法律之结果或属于法律上政府义务之岁出，不经政府之同意，帝国议会不得废除或削减之”；第七十条所规定“为保持公共之安全，于紧急需要之场合，且因内外之情形，政府不能召集帝国议会时，得依敕令，为财政上必要之处分”；第七十一条所规定“预算案尚未经帝国议会议决或不能成立时，政府得施行上年度之预算”；第七十三条所规定“本宪法各条文有修正之必要时，应以‘敕令’将议案付议于帝国议会”。这一切“大权”，实际上都是“内阁”所执行的“大权”。在宪法上，“内阁”并不对议会负责。事实上，虽也会有遭受议会的反对而坍台的“内阁”，但“内阁”的产生，却是经“元老”推荐，由“天皇”任命，议会无权干涉，并且纵使议会拥护，而如为“元老”、枢密院，特别是军部所反对，则“内阁”依然不免要坍台。所谓“平民首相”原敬氏曾说：

在日本，于议会获得多数，则必握有政权

的这种事情，自然是没有的。

这是事实。日本的“内阁”绝不是议会内阁制下的“内阁”，而只是一种官僚机构。所以尾崎行雄说：

> 有宪法，也有议会，制度文物，在纸上灿然具备，看起来好像是纯然的立宪君主国。但实际上，就政府的设施和人民的言行来考察，则依然保存着官僚专制国的故态！这不就是我们日本国吗？

不过，“内阁”也还不是权力最大的唯一的独裁者。它可以对抗议会，它可以压迫人民，但在统治机构内，它却不能不受着别的势力的牵制乃至支配。首先，就是所谓枢密院。日本宪法第四章的题目就是“国务大臣暨枢密顾问”。国务大臣和枢密顾问是并列着的。该章只有条文两条，一条是前面所述关于国务大臣的规定；另一条则为关于枢密顾问的规定，即：“枢密院顾问依枢密院官制之规定，应‘天皇’之咨询，审议重要国务。”

什么是枢密院所审议的“重要公务”呢？依所谓“枢密院官制”的规定，下列事项是需要咨询枢密院的，即：（一）关于宪法条文及有关宪法的法律敕令的草案及疑义；（二）戒严的宣告，紧急敕令，规定罚则的敕令；（三）国际条约；（四）枢密院官制及食物规程的改正；（五）其他临时咨询的事项。看它的权限是如何庞大！？这不仅是侵夺了议会的权限，而且也足以压迫“内阁”。因此，“枢密院官制”虽规定，“枢密院不得干涉施政”，但实际上，以枢密院的力量推倒“内阁”的事，是数见不鲜的。

比较枢密院更有力量，牵制“内阁”、压迫“内阁”的，是所谓“军部”。在日本宪法上，虽然没有明白规定“军部”这样的机构，更没有规定给予“军部”这机构以任何权力。但是如前所述，宪法却曾规定一切军权都属于“天皇”的“大权”，而辅弼“天皇”行使这些“大权”的不是“内阁”，不是总理大臣，而是军部大臣，也就是“军部”。宪法第五十六条规定：“各国务大臣辅弼‘天皇’，各尽其职责”，其实义可以解释为“各国务大臣”，个别地，各自对“天皇”负责，而不是以内阁总理大臣为代表而共同负责。虽然在事实上，其他各国务大臣是经过内阁总理大臣，尽其所谓辅弼之责，而军部大臣却并不是这样，他们是可以独立独行的。因此，正像“天皇的一般行政职权”，事实上，是“内阁”的权力一样，“天皇”的军队的统帅权，军队的编制和常备军额的决定权，宣布戒严权，宣战、媾和乃至缔结有关军事的条约权，这一切军事“大权”，事实上，都是军部的“大权”。这样，不仅“内阁”不能干涉军事，而且“军部”倒可以过问外交了。这是日本宪法制造出来的一种怪现象。

具有上述这一切内容的专制主义的日本宪法，对于人民的民主自由权利，必然是只有剥夺，而不会保障。因为它的任务原是保障“天皇”的“君权”，而不是保障人民的“民权”的。在它的第三章，也曾规定有所谓“臣民权利义务”，并且“应有尽有”地罗列了十五条之多的条文。但首先，它就标明“日本臣民的权利”是“依法律的规定”（第十八条），也就是说，人民的权利是法律所赋予，而不是宪法所确认和保障的。因此，“日本臣民于法律范围内”才“有居住及迁徙的自由”（第二十一条），才“有言论、著作、出版、集会及结社的自由”（第二十九条）。依法律规定，得侵入和搜索人民的住宅（第二十五条），得侵害人民的书信秘密（第二十六条）。人民的信教自由附有“限于不妨害安全秩序或违背臣民的义务时”的条件（第二十八条）。人民要请愿，必须“遵守相当敬礼”，并“从特别规定的规程”（第三十条）。看！这是保障人民的民主自由权利呢，还是剥夺它？然而这还不够。紧接着，在第三十一条就规定着：“本章所列的条文，于战时或国家事变的场合，不得有妨碍‘天皇’‘大权’的执行。”也就是说，“天皇”为了执行所谓“大权”，可以取消人民的一切权利！日本的人民大众是这样的被当做奴隶虐待着！

一方面，把“天皇”尊为神圣，他方面，把人民当做奴隶。这就是日本宪法的精神！

四

日本宪法为什么具有这样的反动的，专制主义的内容呢？那主要是因为它是“天皇”为了保障自己的权利，巩固自己的统治，而制定的“钦定宪法”，并不是人民为了保障自己的民主自由权利，而制定的民主宪法，甚至也还不是君民相互妥协，共同制定的所谓“协约宪法”。换一句话说，它是“天皇”自己“赐予”人民的“恩物”，而不是人民自己争取来的成果。正因为日本宪法是这样的一种“钦定宪法”，所以其主要作用，绝不是为了拘束自己，而是为了钳制人民。在“明治天皇”的“颁布宪法敕语”中，不已明白的说过吗？

> 朕承祖宗统治国家大权，布此不变大典。现在及将来之臣民，对此宪法，永远负有服从之义务。

要推翻这种专制主义的宪法只有完成彻底的民主革命，建立真正的民主政权，才有可能。过去以有产者群为领导者的民主革命是失败了！民主革命的任务已落在日本人民大众的肩头，这革命一定会在全世界反法西斯运动的怒潮中，取得成功。日本的专制主义宪法也必将随着反动的军事法西斯政权的进入坟墓，而被扰在古物陈列馆去罢！

宪法上关于妇女规定的原则

张申府

一、男女绝对平等

二、不以性为资格——但对妇女所受历史与自然的限制予以弥补的机会

三、保障生活的充实，以期养成高尚的人类美

我早年，很喜欢谈妇女问题或男女问题，而且很喜欢用惊人的题目，如“女子解放大不当”之类。有几篇曾经印在我的一本《所思》里，看过那本书的，大概都看过。其中有些意思，我记得曾经很博得一些同情。现在我已老了，对于妇女问题、男女问题已不大感到兴趣，但终觉有些意见仍愿表示。而且深信其是，深信其为持

平之论。并且相信，如果从事妇女运动的人肯采纳它，一定容易达到她们的目的。就是因为我所持的是平情之论，而不仅仅是不平之鸣。

我的一个根本见解就是我坚决相信：男女应该绝对平等，男女应该绝对平权，男女的不受生理限制的集会应该绝对一样。或者说：男女对人类贡献的机会，以及为对人类做贡献应有的准备的机会应该绝对平等。“无自广以狭人。匹夫匹妇不获自尽，民主罔与成厥功”(《尚书》咸有一德篇)。这两句对现在再好不过的话，早已昭示在那儿了。

我认为：在关系国家一切人民而为国家的根本大法，国家的组织法，并且应是“众人管理众人事”的规则准则的保证保障的宪法上，关于妇女的规定应以此男女绝对平等，一样都得尽其才力，为第一原则。(“政治是管理众人的事”。民主政治可说是众人管理众人的事，因此所以民主的宪法应是众人管理众人的事的规则准则的保证保障。)

固然男女的生理并不一样，男女对于人类可有的贡献也不一样。但是一国的宪法主要关涉的乃是该国人民的生活，而不是其人民的生理。所谓绝对平等、绝对平权也并非完全一模一样的意思。民主，最简单的解释就是民为主或主权在民，或由民而治。民主的一个初步或准备原则是法律之前人人平等。推而广之，就是一切公民都有平等的政治权理（俗作“权利”，不当）。世界上最好的字典《袖珍牛津字典》在“民主”一词下所下的注解就是如此的。假使在法律上男女还不平等或不平权，那就太难乎其民主了！那岂不只是男子的民主，而非男女的民主或整个国家的民主，或全国人民的民主了么？我并不相信所谓人权。我只是相信：民主的一个最后根据是人与人差不多。因此所以民主之下不容有什么特权，尤其自赋的特权。

关于妇女问题或男女问题，如果我所信的仅止于此，那也就没有什么新鲜，并不必非表示不可。我的第二个信念乃是：男女都应忘了性（谓男女性别。以下我所说性都是此意。不是说的男女间之情事，请读者注意，不要误会）。都要不把是男是女总放在心上，都不以男女的分别而歧视。都不要以性取，都不要以性予，也不要以性去。在无关生理的地方，既不要以性为一种限制，也不要以性为一种资格。尤其妇女，再不要靠着性，即靠着自己是女子，来要求什么，在生理的必要之外。

我相信许多人会同意这个意见。但是我却还相信：假使只此而止，假使对这个原则不打一个折扣，不另有所打点，那它其实是与第一原则抵触的。

我固然相信：至少在理想上，进步的妇女应该忘了性，忘了自己是女的，不拿性、不拿是女的，来要求什么；而一般地只凭自己的能力学识经验，不做一个所谓狭隘的女权论者，不要总是口口声声“我们妇女”“我们妇女”，也一般地把国家民族人民大众摆在第一位。但是对于忘了性，不以性（不以是女的）作要求的原则，我却同时相信：在今日实际情形之下，应该打一个双重折扣，然后才能有合于男女绝对平等，才能实现男女绝对平权。两重折扣，一个是历史的，一个是自然的。

过去，男女是太不平等了，太差的远了，彼此的机会，对人类贡献的机会，太不一样了，同时，在自然造成的生物中，男女的生理也太不一样了，至少妇女有个（主要的）生殖与（随带的）经期。假使把这些一切不管，而空言男女平等，而空订条文男女平等，那男女一定平等不了。假使全忘了性，全不提及性别，那女子一定会吃亏。所以我常说男女平等以及一切其他人民一般自由权理（不是利，是义，是直，是应该的），都是事实问题，而不仅仅是条文问题；想得不周到，不面面都顾到，是要吃亏的。可惜，也许我说的太简单了，有些人全不懂。

假使把人类历史，在现在斩截地作一个横断，把过去的一切都不管，把过去一切积下来的东西情形都不问；同时更把社会与自然、生活与生理，完全隔离开，而绝不因自然生理的不同有所规定。那么，在这种情形下，就令订定男女完全平等的条文，事实上一定是不会实现的。如果女的在思想上已十分进步，全不以性（不以是女的）作要求，那她一定不易有所得，就一般情形说。

这就好像两个人，一个身体壮健没有病过，一个久病初痊尚未复元，为图平等的美名，完全一样地生活行动，完全一样地工作操劳，完全一样地受教育、上学校，久病甫好的人一点儿也不多吃些滋补品，或做些别的照拂之类。你想，那个久病甫愈的人是不是还是在吃亏或要吃亏？

今日的妇女所受的过去的影响，尤其坏影响，实在太多了。过去社会（其实就是男子）所给妇女的机会实在太少了，以致今日就给予与男子一样的机会也是不会利用！

我的意思只是说：要真正实现男女平等，必须顾及历史，必须顾及实况，必须顾及自然，必须顾及生理，只忘了性别是不成的。为补救过去的欠缺，为弥补自然的不足，今日社会乃必须多给妇女以机会，必须对妇女特别优待些，对于妇女教育尤须多加注意。然后乃有男女真正平等之可期。（妇女给人类传种本是对人类的一个绝大贡献呵！）

人类历史是截不断的。在自然与社会，生活与生理之间，也不能作斩然的划分，认为有越不过的鸿沟。男女是要绝对的平等，男女之间是应忘了性，忘了他是男的她是女的，在理想上是不该靠着性别有什么要求。但在现实状况之下，完全抹杀性别，实际上必对妇女有损。我认为，宪法上必须注意到这一点，应该为妇女的机会别有所订定，等到事实上男女真平等了，男女一样地能利用平等的机会了，再修改也不迟。

不但在宪法上，就是其他社会各方面的生活中，国家其他各种的设施上，今日对于妇女都应该有所迁就，善于因应，以期渐渐男女步调协调，而能力平等，纵然不可因此因应牵就而致误事害事。因此今日对于妇女有时要别有设置，别有打点，也属事势之无可如何者。万不可徒贪平等的美名而遗实害。

要忘了性，也不要忘了性。或说：要忘了性，也不要太忘了性。这也是今日一条相反相成的道理，也同出于事实之当然。而所谓绝对平等本是说的原则，也可以说是在一切有关社会生活条件都一样了的条件上。这样子，所谓绝对的遂也就是相对的，也是不可以“太过”或“已甚”的。

同时，同样根据历史的理由，我也不能不希望今日妇女，尤其进步的妇女，肯把历来的一切有关妇女的，或有关男女间的，思想、观念、习惯、道德都彻底检讨一番，切实重新估一回价，有所斟酌，有所轩轾，有所抉择，有所取舍，有所扬弃。过去的社会（主要即男子）实在把妇女害得苦了，以致于许多本是对妇女有害的思想或习惯，至今许多妇女还会以为事实，其实乃是坏包！就是有些在有些方面极进步的妇女今日还不免充满一脑袋的落后思想，这是历史留下来的。这是由于社会限制，但这却是对妇女不利的。

在中国现代，在“五四”以前与以后，妇女的情形以及男女问题的关系，确已大大不同了。尤其近年的妇女，尤其近年的知识妇女，知识程度，一般言之，实已高得空前。但事实上，在思想情感与生活习惯方面，却似仍大有彻底改进的必要。这固然有待于社会制度的更根本的改变，也未尝不需要妇女本身更进一步的努力，更进一步的精进与猛进。而宪法上如明订有有关的可以为保障的条文，似也未尝不好。

举一个小例来看。今日许多妇女还是体态轻盈，婀娜多姿，华丽相尚，不却脂粉。今日许多妇女不以不却脂粉为非，同时也有许多妇女不以不却脂粉为是。不却脂粉也许是今日许多妇女各种各样的生活所必需，也许是人生应有的点缀粉饰。究竟谁是谁非？这也许只是一个末节，也许是一个无伤大体而实未必佳的末节。但无论如何，我相信：男女问题的解决一定离不开美。美与贞（即真。我在《家常话》中尝说“真则贞，贞则真；

不真则不贞，不贞则不真”），同是男女圆满关系上所不能缺。我也知道，有些妇女一定也不以此为然。这也且不管它。可是又什么是美呢？“充实之谓美”（《孟子·尽心章》）。人类的美一定有待于生活的充实。

因此我认为，这个充实生活以达高尚之美，也就正是订定宪法时应该顾虑到的一点，尤其关于妇女。宪法本是会、也应该会关涉到人人的物质的以至精神的生活的呵。好美是好的，如果好美而不高尚，那它的原因，最后一定是在生活上。我相信今日理想而有宏效的宪法一定对于人民生活的充实，订有保障的明文。

我这些年最好说：哲学是讲原则，讲可能的学问［后一层乃前后相去正二百年，同同情于我而为我宣传的渥尔夫（Chr.Wolff 1679-1754）与罗素（1872-）同为哲学所下的界说］。弄惯了哲学的人总好讲原则，讲种种色色的可能，犹之乎数学是最谨严精审，剖析毫厘，毫厘不苟的学问。一切学问都要作预言，而数学是在作最远最一般最深入最微妙也最切实着实的预言或预言的模子的学问。与算学其实属于同一门类的逻辑也在发见型式以资统整、胪陈型式以待充实，于是弄惯了算术与逻辑的人也就总喜严密不苟而好作预言，好表见实而非空的一般型式，而不轻于推。——启迪与指导一切科学，为其方法，为其模范的数学与占卜算卦的数学，实在是远门的本家。——这篇东西也只是讲的原则，但具体内容未尝不就在里边。虽只讲的可能，但未尝没有孕育着现实的事实。

附记：滥用“性”字，严几道早已呵斥过，我是极端同意。谁料今日用性字之滥，更远远过严几道当时。像什么可能性，重要性之类，都是新生的，我是绝对地不用，虽然好新莫过于我，虽然我也相信字义是社会的，是变的。本篇用性字，实处于不得已。根据“修辞立诚”、“辞达而已”之义，如果改易了仍可表达我的意思，我已尽量改易，或加注语，如云“是女的”之类，欧文“sex”至少已有三意，有时可译为性别，可译为男女（雌雄），有时却非以一性字译不可。譬如“女性”就不可改为“女性别”。可惜什么性交，性欲，性病，性史，性学，性心理，性教育，性道德，性生活，性的问题，性的苦闷，性的压迫，甚至性的自由、性的冲动等等，太流行了。(在也是由我最先介绍来的、以讲性著名的茀罗乙德老大夫的新学术“心解”中用此性字作区别字，还多的很。)其实这些性字本也不全是指的男女媾精，有些就须解为男女和男女关系。譬如头一个“性交”，如不解为“男女交”，而解为“交媾交”，岂不就“不词”或不通了么？只是这种男女交，不待言，乃是一种特种的男女之交罢了。这些全弄清楚，是不容易的。总请读者善喻，不要误解为要。本篇中所不得不说的性，总是像篇中加注所说，是“是男的或是女的”的意思，而无与性交或性欲。《袖珍牛津字典》在“sex”下的两个注解就是“是男的或女的”与“男的或女的，集体来说”。

从法律与社会观点谈到目前婚姻问题

史　良

婚姻为男女共同生活之结合，订婚和结婚，即构成此结合之方式与条件。婚姻美满，可以组成良好家庭，而为社会之重要基础，关系重大，固不待言。关于婚姻制度，各国不同。论其沿革，可分为掠夺婚，买卖婚，聘娶婚，允诺婚，自由婚，五个时期。吾国亲属法虽明定婚姻以男女自由为原则，仅于必要范围内，稍加限制。惟就目今一般情况观之，尚未完全脱离聘娶婚或允诺婚之阶段，较诸欧美各国，似有逊色。至离婚手续，吾法规定男女两方同意，即可协议离异。英美则必经法院判决，始可成立，惟苏联较为自由，良以各国社会情况不同，法律规定自亦随之而异。盖以潮流所趋，绝对的个人主义，已渐成过去。于婚姻方面，男女间应以自由与平等为立法上最大原则。兹先就婚姻之有关法律规者，略加申述之。

一、婚姻意义

婚姻在法律上之意义，即法律所公认基于一男一女间共诺之生存结合。故男女两性间结合，必具备法律所规定之要件，始生婚姻效力，且其结合除有地方特殊习惯外，必限于一男一女，否则发生重婚或通奸问题。婚姻之成立，必基于男女两方之承诺，对于过去父母之命，媒妁之言，所订立之婚约，在法律上已不能生效。同时此种结合，系生存的永久的，亦即古谚“百年偕老”之意。事实上，固有中途解约或中途离婚者，亦非结合时之初衷。但仅限于生存之结合，故夫亡可再嫁，妻死可续娶，为法律所不禁也。

二、婚约之成立及解除

在婚姻成立之前，须先经订婚手续。此项婚约之订立，系预约性质，以日后缔结婚姻为目的，亦仅限于一男一女，故重订婚约，是为解除婚约之原因。惟男女于订婚后，尚无取得身份之可言。关于婚约之效力，虽各国规定，不尽相同，而对于婚约之履行，不许起诉则一。吾国旧律订婚效力极强，有背婚姻自由之本旨。现在法律则明定婚约不得请求强迫履行。至婚约之成立要件，应有男女当事人自行订定，须男满十七岁，女满十五岁；如系未成年之男女，订定婚约，应得法定代理人之同意，始可成立。解除婚约方面，吾法有列举规定，共分九款：

（一）婚约订定后，再与他人订定婚约，或结婚者。

（二）故违结婚期约者。

（三）生死不明，已满一年者。

（四）有重大不治之病者。

（五）有花柳病，或其他恶病者。

（六）婚约订定后，成为残废者。

（七）婚约订定后，与人通奸者。

（八）婚约订定后，受徒刑之宣告者。

（九）有其他重大事由者。

有上列各款原因之一，无论男方或女方，俱可据以解约。解除之方法，由一方向他方为意思表示即可，不必经过诉讼程序。解约后之损害赔偿，如有法定原因解约者，无过失之一方，得向有过失之他方，请求赔偿因此所受之损害。设系无法定原因解约者，违约之一方，对于他方因此所受之损害，亦应负赔偿责任。其所受损害，虽非财产上之损害，受害人亦得请求赔偿相当之金额，但以受害人无过失者为限。

三、婚姻成立之要件

婚姻之正式成立必须具备实质的要件和形式的要件，实质的要件方面：须男女当事人之完全合意。结婚年龄，为男已满十八岁，女满十六岁，未成年人应得法定代理人之同意，且须不背近亲结婚之限制，如系直系血亲及直系姻亲，或旁系血亲及旁系姻亲之辈分不相同者，或旁系血亲之辈分相同，而在八亲等以内者，俱不得结婚。但旁系血亲在八亲等之外，旁系婚亲在五亲等之外者，及表兄弟姊妹，均不在此限。惟监护人与受监护人，于监护关系存续中也不得结婚，但经受监护人之父母同意者，不在此限。至形式的要件，只须举行婚礼时，有公开之仪式，及二人以上之证人，法定手续，颇为简单。

四、婚姻之无效及撤销

婚姻之违背法律规定者，遂生无效或撤销问题。结婚无效情形有二：一为不具备公开仪式，及二人以上证人之方式；二为违反上述近亲结婚之限制。有此一端，婚姻即属无效，即自始的当然无效。至婚姻之撤销，与一般法律行为之撤销不同，其效力不溯既往。且不仅向相对人意思表示为之，更须呈诉法院，经裁判确定始生效力。故在撤销前婚姻中所生之子女，仍属有效。吾亲属法所定婚姻撤销之原因有九：

（一）结婚违反法定年龄者，当事人或其

法定代理人，得向法院请求撤销之；但双方当事人已达所定年龄，或已怀胎者，不得再请求撤销。

（二）结婚违反未成年人之应得法定代理人同意者，法定代理人得向法院请求撤销之，但自知悉之日起，已逾六月，或结婚逾一年，或已怀胎者，即不得请求撤销。

（三）结婚违反监护关系之限制者，受监护人或其最近亲属，得向法院请求撤销之；但结婚已逾一年，不得请求。

（四）有配偶而重行结婚者，利害关系人得向法院请求撤销之；但在前婚姻关系消灭后，即不能撤销。

（五）因奸经判决离婚，或受刑之宣告，而仍与相奸者结婚，前配偶得向法院请求撤销之；但结婚已逾一年，即不能请求。

（六）女子于婚姻关系消灭后，未逾六个月，再行结婚者，前夫或其直系血亲，得向法院请求撤销之；但已满六月，或再婚后已怀胎者，不得再行请求。

（七）结婚时不能人道，而不能治者，他方得向法院请求撤销之；但自知悉其不能治之时起，已逾三年者，不得请求撤销。

（八）当事人之一方，于结婚时，系在无意识或精神错乱中者，得于常态恢复后，六个月内，诉请撤销。

（九）因被诈欺或被胁迫而结婚者，得于发见诈欺、胁迫终止后六个月内，诉请彻销；凡当事人之一方，因结婚无效，或被撤销而受有损害者，得向他方请求赔偿，但必须他方或受害人无过失者为限。

五、婚姻之普通效力

婚姻成立后，在法律上之普通效力，约有四端：

（一）妻以其本姓，冠以夫姓；赘夫以其本姓，冠以妻姓，但双方另行约定，可从其约定。

（二）夫妻互相同居之义务，亦即互负贞操义务，故婚后一方有重婚，或通奸等情事，可为离婚之理由，但有不能同居之正当理由，则可请求别居。

（三）妻依夫之住所为住所，赘夫依妻之住所为住所。

（四）夫妻于日常家务，互为代理人，以谋处理家务之便利；夫妻之一方，滥用前项代理时，他方得限制之。

六、离婚之意义及类别

离婚者，即在合法成立婚姻后，因夫妻间两愿，或由一方主张，经法院判决，而消除婚姻之关系也。是以离婚有协议离婚与判决离婚之别。现代各国，所采离婚制度，如英美法等国，则完全采取判决离婚主义，间亦采取别居制度者。我国往古尢离婚之名辞，只有出妻限制。即所谓“七出”及“三不去”。“七出”者：

(一)无子;(二)淫佚;(三)不事舅姑;(四)多言;(五)盗窃;(六)妒忌;(七)恶疾。

“三不去”者:

(一)有所娶无所归;(二)与共更三年丧;(三)先贫贱后富贵。

迨《唐律》复有义绝应离之制。至《清律》亦规定犯有义绝应离而不离者,应受处罚;惟夫妻不相和谐,而两愿离不坐,则似近强制离婚与协议离婚之制矣。现法只规定协议离婚与判决离婚,兼采别居之制;所谓两愿离婚者,即不问有无法定离婚原因,及其原因如何,而依据夫妻双方之同意,自行消除其婚姻关系也。此项离婚,一名协议离婚。其成立要件,可分实质的与形式的。实质的要件有三:

(一)须为合法成立之夫妻,故无夫妻身份者,谈不到两愿离婚;其夫妻一方之尊长,或亲属，亦不能代为离婚。

（二）夫妻须皆同意离婚，出于自愿。

（三）未成年而已结婚之夫或妻离婚，应得法定代理人之同意。

至形式的要件，即应以书面为之，并应有二人以上证人之签名，始可合法成立。所谓判决离婚者，即夫和妻之一方，向法院诉请离婚，故一名裁判离婚。此项离婚，经一方当事人向法院诉请后，他方在法院上同意者，固亦有之，惟多半系他方事前不能同意，而出此途。法院除于判决前，必经劝谕调解之程序后，一方如仍坚持所请，始依据具备法律规定之原因，准予判决离婚，我现行法对于判决离婚之原因，系采列举主义，即不许类推解释。共有下列十项：

（一）重婚。

（二）与人通奸者。

（三）夫妻之一方，受他方不堪同居之虐待，此项虐待即精神所受痛苦，而至不堪同居之程度，亦包括在内。

（四）妻对于夫之直系亲属虐待，或受夫之直系亲属之虐待，致不堪为共同生活者。

（五）夫妻之一方以恶意遗弃他方，在继续状态中者。

（六）夫妻之一方，意图杀害他方。

（七）有不治之恶疾者。

（八）有重大不治之精神病者。

（九）生死不明已逾三年者。

（十）被处三年以上之徒刑，或因犯不名誉之罪，被处徒刑者。

有此十项法定原因之一，即可请准离异。惟法律上设有相当限制，如以重婚或通奸为原因，而一方已事前同意，或事后宥恕者，不得提起离婚之诉；又自知悉上项事实后，已逾六个月或自其情事发生已逾二年，亦不得起诉；又如意图杀害他方，或被处徒刑者自知悉其情事后已逾一年，或自情事发生后已逾五年者，亦不得诉请离婚。至于离婚后所生效力，如身份方面，夫妻间之关系，因婚姻所生之姻亲，乃亲属关系，同时消灭；子女由夫任监护之责，但可另行约定。同时，法院为子女利益计，可约定监护人。离婚后夫妻各取回其固有财产。妻之财产，如有短少，由夫偿还之责。又如判决离婚后，一方受有损害者，得向有过失之他方，请求损害赔偿，及精神上之慰藉金。即无过失之一方，因判决而陷于生活困难者，他方纵无过失，亦应给与相当之赡养费，以资救济。

以上就吾国现行民法亲属篇，关于婚姻方面之规定，作一概括之叙述。自抗战军兴以还，所颁各种特别法令，有关婚姻者如“优待出征抗敌军人家属条例”第三十条：“出征抗敌军人在服役期内，其妻或未婚妻，无论持何理由，不得离婚或解除婚约。”及去年七月三十日立法院通过之“出征抗敌军人婚姻保障条例”，复详细规定在军人出征期内，其妻不得请求离婚，或与他人重行订婚、结婚；否则无效，或撤销婚约，并处徒刑或罚金；其相与订婚，或相婚者亦同。其未婚妻亦不得与他人重行订婚或结婚；否则无效，并加处罚。其诱胁与之订婚或结婚者，亦同。且其妻或未婚妻，与人通奸者，亦处以徒刑、罚金，相奸者亦同。且其妻或未婚妻，与人订婚、结婚，或通奸，须在夫或未婚夫乃论，或由检察官指定代行告诉人。以上两项条例，对于出征抗敌军人婚姻之保障规定，至为周密。再关于婚姻事件，吾国事诉讼法，原规定专属夫之住所地，或其死亡时住所地址法院管辖，乃离婚之诉，及夫妻同居之诉，于起诉前应经法院调解。如法院认当事人有和谐之望者，得于六个月以下之期间内，命中止诉讼程序。惟战后颁布之"非常时期民事诉讼补充条例"，则规定依住所定管辖之诉讼，其住所在战区者，得由居所地之法院管辖，此项规定，于专属管辖之依住所而定者，亦可适用，所以谋战时当事人诉讼之便利，则以婚姻事件而论，原应由夫之住所地法院专属管辖，而其住所地已陷入战区者，现可在其夫目前居所地之法院起诉。

自抗战迄今已六载有余，战争时期，既已延长，战斗区域，亦复广袤。已婚或未婚夫妇之睽隔战区与后方者，所在皆有。在此悠久之时期中，男女两方以无法结合同居，造成许多怨女旷夫，耽误青春，其痛苦固不难想象。甚至女子受经济压迫，不得已重行改嫁，或竟流落者。至于重行订婚、结婚，乃至登报通告订婚、结婚，或申明解约离婚者，已成司空见惯之事。虽于法律上不生效力，而人皆习然为之。因是法院受理之婚姻事件，随之繁多，影响战时社会，实匪浅鲜，而有注意研讨之必要。兹将良个人两年来在渝执行律师职务时所承办之婚姻案件内，略举事例数则于下，以见一斑。

（一）某君与某女士在战前结婚，已生一女，嗣后由男方资助女方入大学深造，迨战后女士学成，来后方另一地点工作，竟托词拒绝同居，结果男方请求协议离婚。

（二）某女士与某君于战前结婚，已生有子女多人。惟于婚后即知某君已有妻室，嗣后又悉某君与某女子发生暧昧，已木已成舟，始终隐忍。殊不久，某君复与另一女子结婚，竟置彼母子等生活于不顾，而物价日趋高涨，已无法维持，乃请求与某君协议离婚。

（三）某女士于战初在途中与某君结约订婚，旋即偕行后撤，转辗华中各省。嗣后某君突奉命远行，而某女士已怀孕，只得寄住同事家中，以待分娩。一日在某君出发前，草草结婚，从此隔离。其后分途来川，迄未获得接济，亦不通音信，不意某君忽电约离异并延请律师登报，称为解约，态度决绝，结果协议离婚。

（四）某女士与某君，于战前由父母之命结婚，生子女已长大。以当初结合，即非自由，故婚后情谊不洽。战后迁来后方，又以经济关系，感情更形恶劣，某女士已忍无可忍，遂请求离婚。

（五）某女士幼失怙恃，于幼年即遭受寄养之尊亲奸淫，成长后，被迫出嫁。婚后数年，夫竟去世。不久尊亲之配偶亦病故，乃央人出面介绍与之结婚。十数年后男方又有所欢，遂告分居。而时值战时，物价高涨，以所给生活费用过少，借债度日，无以为继。经亲友调解，始协议离婚。所订分期付款之约，复延宕者再。

（六）某女士与某君于战前结婚有年，嗣后某君自恃家产丰裕，假过继他房之名义，暗中又娶一妻。已另有宠爱，即对某女士时加虐待。战后二年，某君由外埠致函某女士，表示决绝，某女士以已结婚生女，又乏谋生能力，始终隐忍。讵某君得寸进尺，竟登报诬蔑，同时向检查处捏辞控诉，并拒绝与女士同居，断绝接济生活费用。某女士遂被迫诉请离婚。

（七）某女士与某君于抗战数年后结婚，旋即怀孕，某君以此后生产扶育，经济上将感困难，即表不悦，屡劝堕胎，未遂。后竟提出离婚，女未允。某君即不给生活费用，夫妇开始有勃谿，甚至动武。女士认为已达不堪同居之程度，且精神上受莫大之痛苦，遂商洽离异。

（八）某女士与某君结婚后，已生有子女多人，情感尚洽。惟某君突喜交接异性，经一再婉劝无效，嗣后查获与其他女子幽会之确据，遂向某君严重交涉，始允将家产划分，以便别居。虽订立约据，而未能如约履行，遂商请洽办解决方法。

（九）某女士与某君在外国留学时结婚，

十余年间感情颇洽。战事发生后，某君忽在外与另一女子结婚，并登报声明，与某女士离异。挈同返家，乃母睹其貌美，即谓某女士既十余年来未曾生育，宗嗣无继，而新婚之女子已怀孕不能遗弃，某女士应即与乃子脱离夫妇关系等语。某女士闻悉之下，气愤填膺，即日离其夫家，并商洽诉请离婚。

（十）某女士与某君结婚，家中贫苦异常，负担颇重。某女士日夜辛勤，协助成家。生有子女多人，均已成年。战后某君来后方经商，营业颇为发达，积资盈万，而某女士仍留住战区原籍。某君旋去外埠办货，复与另一年轻舞女相识，后竟正式结婚，公然在其主持机关宿舍内，公开同居。旋被发妻所悉，亟由战区赶来交涉，但求和平相处，竟被后妻所拒，经人调解亦无效，迄今尚未解决。

（十一）某女士与某君结婚，即发觉其夫不能人道，然始终隐忍达十余年之久。嗣后某君对某女士反屡加凌辱，至不能忍耐之程度，始协议离异。

按上项所举事例观之，女方提出离婚者，实远较男方为多。但造成离婚之原因与过失，则大都在男子方面。女方则以婚后生有子女，较为容忍。且女子从一而终之旧道德，依然存在。甚至有十余年之长期隐忍，其痛苦自不堪言。大抵男女结婚初期，感情均洽，迨数年或十数年后，或以女方年老色衰，情谊日渐淡薄。或以过去女方对丈夫之情爱与精神，旋移于子女身上。或以女子终日葬身于家庭琐事之中，与社会隔绝，无形退步，男子因在外工作关系，随潮流进步，两相比较，女子自日逊于男子。浸暇而形成男子不满与憎恶之状态，佳偶一变而为怨偶，男子遂在外另觅所欢，公然同居，甚至迎娶返家，迫妻共处。亦有因女子多年不育，因袭嗣继观念，另行娶妻。或假此名义，以逞色欲，且每为尊亲所赞同与庇护。目前离婚事件，或以战事关系男女分立，情感隔绝，渐生变化。或以受战时物价高涨，经济艰难之影响，男方视女子稍不如意，即减少或断绝生活费用之接济，或假此方法，以达离婚之目的。女方既乏生产能力，在家庭间又无管理财产之操权，终必被迫请求离异。似此已非夫妇一时意气之冲动，而系感情渐次转劣，经长期演进，离异实为最后之结果。此外别无他途可资解决，唯有待法律之救济矣。尤以近年生活日益困难，男女双方，均怕生育，而男子为尤甚，造成堕胎之原因。离婚事件以城市发生居多，乡村较少。盖乡村男女，共同以劳力生活，无依赖与独立之分，男子即不能以经济要挟女子之生活。至成立离婚者，以协议离婚居多，判决离婚较少。因协议离婚，有商洽余地。而法院判决离婚，必合乎法定条件，不易成立。且自起诉，而审判确定，以至执行终了，最少须三年以上之时间，决非无资力之女子，所能支持。即协议离婚成立后，男方每对赡养费等，仍延不给付，可见经济权操诸男子，女方请求离异，亦非易事。

综上所述，虽将现行“民法”对于婚姻之规定，略加申述，俾读者得一概念。惟就所举事例观之，则不仅当前发生之婚姻问题为法律问题，同时亦为一社会问题与经济问题。以社会建筑在家庭基础之上，家庭系由男女结合组织而成。且家庭经济状况，夫妻财产制度，影响男女双方生活，于婚姻纠纷方面，关系尤大。离婚后之子女养育，因此每成问题，从社会立场观察，为一极堪注意之事态。故婚姻问题，实与法律、家庭、社会经济，以致政治各方面，俱有连带的关系，不能仅就一方面加以观测论断，亦不能仅就一方面可得解决方案。况从法律与社会两种观点上比较，显有不同与冲突之处。如现行法律所定，男女订婚、结婚，应各自由自主，而社会上尚有凭尊命妁言，及幼年即已订约者。法律订定协议离婚，应经两方同意，而事实上女方每受经济影响而被迫者。法律明定夫妻各项财产制极为平等，且多对女方加以保护，而事实上财产之保管使用，收益之权，仍多操在夫方。法律已废止宗祧继承，而社会上仍有嗣继观念之存在。法律详订妻女继承遗产之分配顺序，而事实上尚未彻底实行，致男子在家庭与财产方面，仍占绝对之优势。形成法律在事前不为一般人之注意，未能切实遵行，至发生问题后，始赖法律为事后之救济工具，则法律只能救济其末。推求本源，尚有赖家庭社会经济政治各方面之协助，改进俾与法律相辅而行，借杜婚姻纠纷之发生。

抑尤有进者，就目前所生之婚姻问题，已反映战事愈趋延长，将益形严重。因生活日见困难，婚姻纠纷，亦随之增加。经济权多操诸男子之手，女子尚处于被压迫被支配之地位。社会上犹放纵男子多妻，政治上尚未步入扶植妇女之阶段。以上所举实例可云仅现社会万千事件之一二，甚至演变终极，有不堪想象者。年来就婚姻案件，嘱良答复调解，起诉应诉者甚多，甚至泣诉苦衷，哀怀悱恻。所愿各方战时发生婚姻问题，实有加以注意检讨之价值，终婚姻纠纷之结果，不仅关系夫妇生活，子女教养而已。设重婚、姘度、堕胎、娼妓之风流行，影响整个社会，至深且巨。夫法律不过国家订立一种准则，希人民奉行于前，即事后予以解决制裁，虽条文制度极为严格，而尚赖男女两方于订婚、结婚之初，力事审慎。婚后应守夫妇道德，相敬相爱，组成健全美好之家庭，同享毕生幸福，对此长期抗战之艰苦生活更应坚忍以渡此最后难关。男子方面，对于妇女宜善为扶持，勿轻离弃，免致流离失所，影响社会。而关于婚姻资助，遗产继承权，夫妻财产制度，乃受同等之教育，与职业机会均等诸多问题，女子尤应切实先从自身做起，用自力争取，努力达成真正男女平等，免昭后悔。同时在社会方面，亦应加以舆论的援助，与道德的制裁。政治上尤应基于真正男女平等之原则，对于欺凌女性压迫妻子之男子与丈夫，严予制裁。在教育职业经济各方面，应以政治力量，对女子特别加以扶持，俾战时婚姻纠纷，可望减少，后方社会基础，赖以巩固焉。

三联经典文库第二辑简目

《游击战教程》　明凡 / 著

《游击战术纲要》　陶剑青 / 编著

《汪精卫卖国的理论与实践》　钱俊瑞 / 著

《抗战以来》　韬奋 / 著

《陕行纪实》　楚云 / 著

《随军散记》　沙汀 / 著

《被日寇囚系半载记》　王研石 / 著

《倭营历险记》　房沧浪 / 著

《活跃的新西北》　田影 / 编著

《保卫华北的游击战》　刘清扬　陈北鸥等 / 著

《徐州突围》　《徐州突围》编委会 / 编

《沦亡的平津》　长江　小方等 / 著

《淞沪火线上》　胡兰畦等 / 著

《瞻回东战场》　长江　罗平 / 著

《东线的撤退》　胡兰畦等 / 著

《抗战中的西北》　徐盈 / 著

《鲁闽风云》　徐盈等 / 著

《西线生活》　西北战地服务团集体创作

《中国解放区见闻》　［美］福尔曼著 / 朱进译

《全面抗战论》　潘汉年 / 著

《日本的间谍》　范士白自述 / 尊闻译

《日本大陆政策的真面目》　国难资料编辑社 / 编

《民众动员论》　李公朴 / 著

《中国外交史》　钱亦石 / 编著

《太平洋军事地理》　蒋震华 / 著

《世界经济地理讲话》　思慕 / 著

《列强军力论》　［德］马克斯 · 威纳尔著 / 宾符　仲持　梅益等译

《近代国际关系史》　张铁生 / 著

《太平洋现势手册》　沈志远　石啸冲 / 编著

《近代世界政治史》　钱亦石 / 著

《从战争到和平——一九四五年的世界政治》　乔木 / 著

《战后日本问题》　思慕 / 著

《最近一年间的国际动态（1946.7—1947.6）》　《东北日报》社 / 编

《论政党》　翟放 / 著

《法与宪法》　韩幽桐 / 编著

《中华民国宪法刍议》　罗家衡 / 著

《民主 · 宪法 · 人权——作之民》　费孝通 / 著

《宪法论初步》　潘念之 / 著

《对反民主的抗争》　韬奋 / 著

《农村改进的理论与实际》　江恒源 / 著

《上海产业与上海职工》（上下）　　朱邦兴　胡林阁　徐声 / 合编

《陶行知教育论文选辑》　　陶行知著 / 方与严编

《中国通货膨胀论》　　杨培新 / 著

《中国及其未完成的革命》　　H·普拉特著 / 蒋天佐译

《中国的建设问题与人的训练》　　卢作孚 / 著

《论中国特殊性及其他》　　艾思奇 / 著

《中国经济问题讲话》　　钱俊瑞　徐雪寒　王渔邨　姜君辰　骆耕漠 / 合著

《中国经济的道路》　　许涤新 / 著

《中国财政之病态及其批判》　　孙怀仁 / 著

《官僚资本论》　　许涤新 / 著

《五四运动之史的评价》　　陈端志 / 著

《中国通史简编》（上下）　　中国历史研究会　范文澜 / 主编

《论文学的工农兵方向——读〈在延安文艺座谈会上的讲话〉》　雪苇 / 著

《中国近代史（上编　第一分册）》　　武波 / 编著

《文学百题》　　傅东华 / 编

《中国史学之进化》　　周谷城 / 著

《论民族形式问题》　　胡风 / 著

《论批评》　　荃麟等 / 著

《中国史纲》（第一卷上下、第二卷上下）　　翦伯赞 / 著

《近代中国思想学说史》（1–4）　　侯外庐 / 著

《中国政治思想史》（上下）　吕振羽 / 著

《中国哲学史纲要》　向林冰 / 著

《中国政治史讲话》　钱亦石 / 著

《中国社会经济史纲》　王渔邨 / 著

《新财政学大纲》　千家驹 / 著

《太平天国革命运动论文集——金田起义百周年纪念》

华北大学历史研究室 / 编

《理性与自由——文化思想批评论文集》　胡绳 / 著

《战斗者的诗人》　黄药眠 / 著

《国语文法》　曹朴 / 著

《教育哲学》　张栗原 / 著

《妇女问题讲话》　杜君慧 / 著

《婚姻 · 子女 · 继承》　沙千里 / 著

《性教育新论》　布士克　雅各生合著 / 董秋斯译

《狱中杂感》　杜重远 / 著

《七人之狱》　沙千里 / 著

《爱迪生传》　伍况甫 / 译

《歌德自传》（上下）　歌德著 / 思慕译

《尼赫鲁自传》　[印度] 尼赫鲁著 / 毕来译

《列宁传》　[苏] 凯尔任采夫著 / 企程　朔望译

《罗斯福总统传》　C. Mackenzie 著 / 张尚之译

《托尔斯泰传》（1–3）　[英] 阿尔麦 · 莫德著 / 徐迟译

《革命文豪高尔基》　［美］亚历山大·康恩著 / 韬奋编译

《鲁迅纪念特辑》　新中国文艺社 / 编

《回忆鲁迅先生》　萧红 / 著

《人民文豪鲁迅》　平心 / 著

《亡友鲁迅印象记》　许寿裳 / 著

《鲁迅思想研究》　何干之 / 著

《鲁迅研究》　夏征农 / 编

《过来的时代：鲁迅论及其他》　雪峰 / 著

《电影戏剧表演术》　洪深 / 著

《日常心理漫谈》　［美］约瑟夫·查斯特罗著 / 曾宝施译

《心理常识漫话》　朱智贤　杨云美 / 著

《读书的方法与经验》　王任叔 / 著

《美国黑人生活纪实》　［美］加德维尔　斯坦倍克著 / 董秋斯译

《初访美国》　费孝通 / 著

《事业与成功》　［美］马尔腾著 / 汪原放译

《萍踪寄语（初集）》　韬奋 / 著

《一生的幸福前途——〈生活周刊〉信箱选集》　生活书店 / 编选

《深刻的印象》　生活周刊社 / 编

《海外的感受》　生活书店编译所 / 编